千字文(천자문)

1800漢字　　朱子十悔訓　　三綱五倫

一信書籍出版社

天 | 一 = チ 天 | 하늘 천

地 | 十 土 扫 地 地 | 따 지

玄 | ㆍ 亠 숟 玄 玄 | 검을 현

黃 | 艹 芇 苗 苗 黃 | 누루 황

宇 | ㆍ 宀 宀 宇 | 집 우

宙 | 宀 宀 审 宙 宙 | 집 주

洪 | 氵 汀 洪 洪 洪 | 넓을 홍

荒 | 一 艹 芒 芐 荒 | 거칠 황

日 | l 冂 日 日 | 날 일

月 | l 几 月 月 | 달 월

盈 | 丿 丿 奶 奶 盈 | 찰 영

昃 | l 日 尸 尸 昃 | 기울 측

辰 | 一 厂 厂 辰 辰 | 별 진

宿 | 宀 宀 宀 宿 宿 | 잘 숙

列 | 一 丆 歹 列 列 | 벌릴 렬

張 | 丆 弜 張 張 張 | 베풀 장

天地玄黃　하늘은 위에 있으므로 그 빛이 검고, 땅은 아래에 있으므로 그 빛이 누렇다.
宇宙洪荒　하늘과 땅 사이는 넓고도 커서 끝이 없다. 즉, 이 세상이 매우 넓음을 뜻한다.
日月盈昃　해는 서쪽으로 기울고, 달도 차면 점점 기울어진다.
辰宿列張　성좌가 해와 달과 같이 넓게 벌려져 있다.

寒 宀宀宇宇寒寒 찰 한	來 一ㅉ來來來 올 래	暑 日무무무暑暑 더울 서	往 彳彳彳往往 갈 왕
秋 二千禾禾秋 가을 추	收 丨丩丬收收 거둘 수	冬 ノク夂冬冬 겨울 동	藏 艹芹芹薜薜藏 감출 장
閏 丨門門門閏 윤달 윤	餘 刍刍刍飣飣餘 남을 여	成 ノ厂成成成 이룰 성	歲 止芦芦崇歲歲 해 세
律 彳彳彳律律 법률 률	呂 丨口丨尸呂呂 음률 려	調 言訂訓訓調調 고를 조	陽 阝阝阝阝陽陽 볕 양

寒來暑往　차가운 것이 오면 더운 것이 가듯이 사철이 바뀐다.
秋收冬藏　가을에는 곡식을 거두어들이고, 겨울에는 그것을 저장해 둔다.
閏餘成歲　일년의 이십사 절기 나머지 시각을 모아서 윤달로 해를 정했다.
律呂調陽　율〔六律〕과 여〔六呂〕는 천지간의 양기를 고르게 하나니, 율은 양이요, 여는 음이다.

雲 구 름 운	騰 오 를 등	致 이 를 치	雨 비 우
露 이 슬 로	結 맺 을 결	爲 할 위	霜 서 리 상
金 쇠 금	生 낳 을 생	麗 빛 날 려	水 물 수
玉 구 슬 옥	出 날 출	崑 메 곤	崗 메 강

雲騰致雨　수증기가 올라가서 구름이 되고, 냉기를 만나서 비가 된다. 즉, 천지간의 자연
　　　　　기상을 뜻한다.
露結爲霜　이슬이 맺혀서 서리가 되고, 밤기운이 풀잎에 물방울처럼 이슬을 이룬다.
金生麗水　금은 여수에서 난다. 여수는 중국의 지명이다.
玉出崑崗　옥은 곤강에서 난다. 곤강은 중국의 산이름이다.

劍	號	巨	闕
^ ^ 合 命 劍 劍	罒 号 號 號 號	丨 厂 厂 巨 巨	尸 門 閂 閂 闕
칼 검	이름 호	클 거	집 궐

珠	稱	夜	光
王 王 珍 珒 珠	禾 秒 秤 稱 稱	亠 宀 夜 夜 夜	丨 丷 丬 光 光
구슬 주	일컬을 칭	밤 야	빛 광

果	珍	李	奈
冂 田 旦 果 果	丅 王 珍 珍 珍	一 十 木 李 李	才 杢 杢 李 奈
과실 과	보배 진	오얏 리	벗 내

菜	重	芥	薑
艹 茐 芏 芊 菜	亠 亐 盲 重 重	一 艹 芅 芥 芥	艹 薑 薑 薑 薑
나물 채	무거울 중	겨자 개	생강 강

劍號巨闕 거궐이라는 칼이 있다. 이 칼은 구야자가 만든 조나라의 국보이다.
珠稱夜光 구슬의 빛이 낮과도 같으므로 야광이라고 일컫는다.
果珍李奈 과실주에는 오얏과 벗의 진미가 으뜸이다.
菜重芥薑 나물 중에는 겨자와 생강이 제일 귀중하다.

바 다 해

짤 함

물 하

맑을담

비 늘 린

잠 길 잠

깃 우

날 개 상

용 룡

스 승 사

불 화

임 금 제

새 조

벼 슬 관

사 람 인

임 금 황

海鹹河淡　바닷물은 짜고, 민물은 맛도 없고 맑다.
鱗潛羽翔　비늘이 있는 고기는 물 속에 잠기고, 날개가 있는 새는 하늘을 난다.
龍師火帝　용 스승 불 임금이란 복희씨는 용으로써, 신농씨는 불로써 기록하였다.
鳥官人皇　소호는 새로써 벼슬을 기록하고, 황제는 인문을 구비했으므로 인황이라 하였다.

始 ㄑ ㄑ ㄑ 始 始 비로소시	制 ㄈ ㄈ 片 制 制 지 을 제	文 ' 亠 亠 文 글 월 문	字 ' 宀 宁 字 글 자 자
乃 ノ 乃 이 에 내	服 月 月 朋 肥 服 옷 복	衣 亠 ナ 亣 衣 衣 옷 의	裳 竹 堂 堂 堂 裳 치 마 상
推 扌 扌 扩 拊 推 밀 추	位 ノ イ 仕 位 位 자 리 위	讓 言 讉 讉 讓 讓 사 양 양	國 冂 同 國 國 國 나 라 국
有 ノ ナ 才 冇 有 있 을 유	虞 广 声 虗 虞 虞 나 라 우	陶 阝 阝 阼 陶 陶 질 그 릇 도	唐 广 广 户 唐 唐 당 나 라 당

始制文字　복희씨는 창힐이라는 자를 시켜 새의 발자국을 보고 글자를 처음으로 만들었다.
乃服衣裳　이에 옷을 입게 하니, 황제가 의관을 지어 등분을 정하고 위의를 엄숙케 하였다.
推位讓國　벼슬을 미루고 나라를 사양하니, 제요가 제순에게 전위하였다.
有虞陶唐　유우는 제순이요, 도당은 제요이니, 이는 곧 중국 고대 제왕이다.

 弔 ㄱ ㄱ 弓 弔 조 상 조	民 ㄱ ㄱ 尸 尸 民 백 성 민	伐 亻 亻 代 伐 伐 칠 벌	 罪 罒 罒 罪 罪 罪 허 물 죄
周 冂 冂 月 冃 周 두 루 주	發 癶 癶 癶 發 發 필 발	 殷 厂 尸 月 身 殷 나 라 은	 湯 氵 沪 沪 渇 湯 끓 을 탕
坐 人 사 坐 坐 坐 앉 을 좌	朝 十 吉 直 朝 朝 아 침 조	 問 丨 丨 門 門 問 물 을 문	 道 丷 首 首 首 道 길 도
垂 三 乖 乖 垂 垂 드 리 울 수	拱 扌 扩 拱 拱 拱 꼬 질 공	平 一 一 平 平 平 평 할 평	章 亠 音 音 音 章 글 장 장

弔民伐罪　불쌍한 백성은 돕고, 죄를 지은 백성에게는 벌을 주었다.
周發殷湯　주발은 무왕의 이름이고, 은탕은 왕의 칭호이다.
坐朝問道　좌조는 천하를 통일하여 왕위에 앉은 것이고, 문도는 나라를 다스리는 법이다.
垂拱平章　밝고 평화롭게 다스리는 길을 공손히 생각한다.

 愛 罒 罒 愛 愛 愛 사 랑 애	育 亠 云 产 育 育 기 를 육	黎 禾 利 称 黎 黎 검 을 려	 首 丷 首 首 首 首 머 리 수
臣 丨 厂 臣 臣 臣 신 하 신	伏 亻 亻 什 伏 伏 엎 드 릴 복	戎 一 ニ 手 式 戎 되 융	羌 丷 芏 羊 羊 羌 되 강
退 ㄖ ㄖ 皀 昆 退 멀 하	邇 一 爾 爾 爾 邇 가 까 울 이	壹 吉 声 声 壹 壹 한 일	體 骨 骨 體 體 體 몸 체
率 亠 玄 玆 率 率 거 느 릴 솔	賓 宀 宀 宀 賓 賓 손 빈	歸 丨 皀 皀 歸 歸 돌 아 갈 귀	王 一 丁 王 王 임 금 왕

愛育黎首　백성을 임금이 사랑하고 양육한다.

臣伏戎羌　위와 같이 나라를 다스리면 그 덕에 굴복하여, 융과 강도 항복하게 된다.

遐邇壹體　멀고 가까운 나라에 그 덕망이 퍼져서 귀순케 되며 일체가 된다.

率賓歸王　거느리고 왕에게 귀순하니, 덕을 입어 복종치 않음이 없다.

鳴 叫 吖 唣 鳴 鳴 울 명	鳳 几 凡 凰 鳳 鳳 새 봉	在 一 ナ オ 在 在 있을 재	樹 オ 柞 桔 樹 樹 나무 수
白 丿 亻 白 白 白 흰 백	駒 冂 馬 馬 駒 駒 망아지 구	食 人 今 仐 食 食 밥 식	場 土 圬 坮 場 場 마당 장
化 亻 亻 化 조화화	被 衤 衤 衤 袚 被 입을 피	草 一 艹 芇 苩 草 풀 초	木 一 十 才 木 나무 목
賴 亠 束 刺 賴 賴 힘입을 뢰	及 丿 乃 及 미칠 급	萬 艹 草 萬 萬 萬 일만 만	方 亠 亍 方 모 방

鳴鳳在樹　그 덕이 미치는 곳마다 봉황이 나무 위에서 운다.
白駒食場　흰 망아지도 그 덕에 감화되어서 사람을 따르며, 마당의 풀도 뜯어 먹게 된다.
化被草木　그 덕이 사람이나 짐승뿐 아니라, 풀과 나무에까지도 미친다.
賴及萬方　여러 곳에 그 덕이 고르게 미친다.

蓋 一 艹 芏 莽 蓋 덮을 개	此 丨 丄 止 此 此 이 차	身 丿 冂 甪 身 身 身 몸 신	髮 丨 镸 髟 髣 髮 터 럭 발
四 丨 冂 四 四 四 넉 사	大 一 ナ 大 큰 대	五 一 丁 五 五 다 섯 오	常 丷 尙 常 常 常 항 상 상
恭 一 艹 恭 恭 恭 공 손 공	惟 丶丨 忄 忦 惟 오 직 유	鞠 丬 苦 靪 鞠 鞠 칠 국	養 丷 芉 養 養 養 기 를 양
豈 丨 岂 岂 豈 豈 어 찌 기	敢 乛 耳 耳 取 敢 용 감 할 감	毀 丆 臼 臼 毁 毀 헐 훼	傷 丨 亻 俜 隻 傷 상 할 상

蓋此身髮　이 몸의 털은 사람마다 없는 자가 없다.

四大五常　네 가지 큰 것과 다섯 가지 떳떳함이 있으니, 즉 사대는 천지군부요, 오상은 인
의예지신이다.

恭惟鞠養　국양함을 공손히 하여라. 이 몸은 부모의 기르신 은혜 때문이다.

豈敢毀傷　부모가 낳아 길러 주신 이 몸을 어찌 감히 헐고 상하게 하랴.

女 ㄴ ㄴ 女 계 집 녀	慕 艹 茾 莫 慕 慕 사 모 할 모	貞 丶 宀 貞 貞 곧 을 정	烈 一 歹 歹 列 烈 매 울 렬
男 ㄇ ㄲ 田 男 男 사 내 남	效 亠 ㅊ 交 효 效 본 받 을 효	才 一 十 才 재 주 재	良 ㄱ ㅋ 自 自 良 어 질 량
知 ㄴ ㅌ 矢 知 知 알 지	過 ㅁ 冎 咼 過 過 지 날 과	必 丶 ㄟ 必 必 必 반 드 시 필	改 ㄱ ㄹ ㄹ 改 改 고 칠 개
得 彳 得 得 得 得 얻 을 득	能 ㅿ 育 肯 能 能 능 할 능	莫 艹 苎 苴 莫 莫 말 막	忘 亠 亡 亡 忘 忘 잊 을 망

女慕貞烈 여자는 정조를 굳게 지키고, 행실을 단정히 해야 한다.
男效才良 남자는 재주를 닦고, 어진 것을 본받아야 한다.
知過必改 사람에게는 누구나 허물이 있으니, 그것을 알면 곧 고쳐야 한다.
得能莫忘 사람으로서 알아야 할 것을 배우면 그것을 잊지 않도록 해야 한다.

罔	談	彼	短
冂 冂 冈 罔 罔	言 言 訂 談 談 談	彳 彳 彴 彼 彼	스 矢 知 短 短
없을 망	말씀 담	저 피	짧을 단

靡	恃	己	長
广 庐 麻 靡 靡	忄 忄 忄 恃 恃	ㄱ ㄱ 己	丨 丨 巨 長 長
아닐 미	믿을 시	몸소 기	긴 장

信	使	可	覆
亻 亻 信 信 信	亻 亻 仨 使 使	一 丁 冂 罒 可	亖 覀 覇 覇 覆
믿을 신	사신 사	옳을 가	덮을 복

器	欲	難	量
吅 吅 哭 器 器	八 公 谷 谷 欲	艹 芎 莫 蘴 難	冂 旦 昌 量 量
그릇 기	하고자할 욕	어려울 난	헤아릴 량

罔談彼短　자기의 단점을 말하지 않고, 다른 사람의 단점도 말하지 않는다.
靡恃己長　자신의 장점을 말하지 않아야 더욱 발전한다.
信使可覆　믿음은 다른 사람과의 진리이며, 다른 사람과의 약속은 지켜야 한다.
器欲難量　사람의 기량은 깊고도 깊어서 헤아리기가 어렵다.

墨 墨 墨 冂 罒 甲 黑 墨 **먹 묵**	悲 悲 悲 丿 丬 非 非 悲 **슬플 비**	絲 絲 絲 ㄑ ㄠ 幺 糸 絲 **실 사**	染 染 染 冫 氵 汈 染 染 **물들일 염**
詩 詩 詩 言 言 詩 詩 詩 **글 시**	讚 讚 讚 言 討 諧 譛 讚 **칭찬할 찬**	 羔 艹 ㄨ 羊 羔 羔 **염소 고**	 羊 丷 艹 兰 羊 **양 양**
景 景 景 日 旦 昃 景 景 **경치 경**	行 行 行 ㄔ 彳 彳 行 行 **다닐 행**	維 維 維 幺 糸 糸 紲 維 **이을 유**	賢 賢 賢 一 臣 臤 腎 賢 **어질 현**
剋 剋 剋 十 古 克 剋 剋 **이길 극**	念 念 念 人 人 今 念 念 **생각 념**	作 作 作 亻 仁 伫 作 作 **지을 작**	聖 聖 聖 冖 耳 耵 聖 聖 **성인 성**

墨悲絲染　흰 실에 검은 물이 들면 다시 희지 못함을 슬퍼한다.
詩讚羔羊　시전 고양편에, 문왕의 덕을 입어서 남국 대부가 정직하게 됨을 칭찬하였다.
景行維賢　행실을 훌륭히 하고 당당히 하면 어진 사람이 된다.
剋念作聖　성인의 언행을 유념하여 수양을 쌓으면 성인이 될 수 있다.

 德	建	名	 立
彳 彳 德 德 德	⇒ ⇒ ⇒ 聿 律 建 建	ノ ク タ 名 名	亠 亠 立 立
큰 덕	세울 건	이름 명	설 립

 形	 端	 表	 正
二 于 开 形	亠 立 立 端 端	十 丰 圭 表 表	一 丅 下 正 正
얼굴 형	끝 단	겉 표	바를 정

 空	 谷	 傳	 聲
' 宀 空 空 空	ノ 八 父 谷 谷	亻 俥 俥 俥 傳	吉 声 殸 聲 聲
빌 공	골 곡	전할 전	소리 성

 虛	堂	習	聽
广 虍 虍 虛 虛	' 严 常 常 堂	⁊ ⁊ 羽 習 習	F 耳 耻 聽 聽
빌 허	집 당	익힐 습	들을 청

德建名立　덕으로써 세상 모든 일을 행하면 자연히 이름도 나게 된다.
形端表正　용모가 단정하고 깨끗하면 마음도 바르며, 또 겉으로 드러난다.
空谷傳聲　산골짜기에서 소리치면 그것은 그대로 전해진다.
虛堂習聽　빈 방에서 소리를 내면 울리어서 다 들린다.

禍	因	惡	積
示 礻 祀 祸 禍	冂 冃 冈 因 因	一 二 亞 亞 惡	禾 利 秆 積 積
재화화	인할인	모질악	쌓을적
福	緣	善	慶
一 示 礻 福 福	糸 紀 紓 緣 緣	丷 羊 羊 善 善	广 产 严 慶 慶
복 복	인연연	착할선	경사경
尺	璧	非	寶
ㄱ 尸 尺	ㄱ 目 辟 璧 璧	ㅣ ㅓ 非 非 非	宀 宨 宐 寶 寶
자 척	구슬벽	아닐비	보배보
寸	陰	是	競
一 十 寸	阝 阝 陰 陰 陰	冂 目 무 무 是	亠 音 竞 竞 競
마디촌	그늘음	이 시	다툴경

禍因惡積　재앙은 악을 쌓았기 때문에 일어나는 것이다.
福緣善慶　복은 착한 일에서 연유하니, 착한 일을 하면 경사가 온다.
尺璧非寶　한 자나 되는 구슬이라고 다 보배는 아니다.
寸陰是競　한 치의 시각을 다투는 것이 귀중하다.

丿 氵 次 資 資

자료 자

丿 八 父 父

아버지 부

一 戸 写 写 事

일 사

フ コ ヨ 尹 君

임금 군

丨 冂 曰 日

가로 왈

严 严 厳 厰 嚴

엄할 엄

丨 臼 咠 印 與

더불 여

艹 芍 苟 敬 敬

공경할 경

十 土 耂 孝 孝

효도 효

丷 尚 当 當 當

마땅할 당

立 妈 竭 竭 竭

다할 갈

フ 力

힘 력

口 中 史 忠 忠

충성 충

冂 目 貝 則 則

법칙 칙

コ 聿 聿 盡 盡

다할 진

人 人 合 命 命

목숨 명

資父事君　부모 섬기는 효도처럼 임금을 섬겨야 한다.
曰嚴與敬　임금을 대하는 데에는 엄숙함과 공경함이 있어야 한다.
孝當竭力　부모를 섬김에는 마땅히 힘을 다해야 한다.
忠則盡命　충성은 곧 목숨을 다 바치는 것이다.

臨	深	履	薄
丨 厂 臣 臨 臨	氵 氵 氵 深 深	尸 尸 尼 屑 履	艹 蒲 蒲 蒲 薄
임할림	깊을심	밟을리	얇을박

夙	興	溫	淸
丿 几 凡 夙 夙	𦥑 用 舆 舆 興	氵 沪 沪 泅 溫	氵 氵 淸 淸 淸
이를숙	흥할흥	따뜻할온	서늘청

似	蘭	斯	馨
亻 𠆨 似 似 似	广 門 門 蔄 蘭	廿 甘 其 斯 斯	声 声 殸 磬 馨
같을사	난초란	이 사	꽃다울형

如	松	之	盛
人 女 女 如 如	十 木 枞 松 松	之 之	丿 厂 成 成 盛
같을여	소나무송	갈 지	성할성

臨深履薄　깊은 곳에 임하듯, 얇은 데를 밟듯이 하라.
夙興溫淸　일찍 일어나서 추우면 덥게, 더우면 서늘하게 하여라.
似蘭斯馨　난초와도 같이 꽃답다. 즉, 군자의 지조를 비유한 말이다.
如松之盛　소나무와 같이 변치 않고 성하다. 즉, 군자의 절개를 비유한 말이다.

 川 ノ 川 川 내 천	 流 氵 汁 浐 浐 流 흐를 류	 不 一 ア 不 不 아니 불	 息 ノ 竹 自 息 息 쉴 식
 淵 氵 沪 洲 淵 淵 못 연	 澄 氵 沪 浐 澄 澄 맑을 징	 取 丆 丆 耳 取 取 취할 취	 映 日 肝 肝 映 映 비칠 영
 容 宀 宀 突 容 容 얼굴 용	 止 ｜ ｜ 止 止 그칠 지	 若 艹 艹 芓 若 若 같을 약	 思 冂 田 田 思 思 생각 사
 言 一 二 言 言 言 말씀 언	 辭 宀 甬 屬 辭 辭 말씀 사	 安 宀 宀 安 安 편안 안	 定 宀 宀 宅 宗 定 정할 정

川流不息　내가 흘러서 쉬지 않는다. 즉, 군자의 행지를 비유한 말이다.
淵澄取暎　못이 밝아서 비춰도다. 즉, 군자의 마음씨를 비유한 말이다.
容止若思　행동은 침착히 하고, 조용히 생각하여라.
言辭安定　태도만 침착하게 할 뿐만 아니라, 말도 또한 안정케 하여라.

篤 竺竺笃篤篤 **두터울 독**	初 ㄱ衤衤初初 **처음 초**	誠 訁訒誠誠誠 **정성 성**	美 䒑丷羊美美 **아름다울 미**
愼 忄忄愃愼愼 **삼갈 신**	終 纟糸紣終終 **마지막 종**	宜 宀宀宜宜宜 **마땅 의**	令 丿亼宀令令 **하여금 령**
榮 灬火炊熒榮 **영화 영**	業 丷丵丵業業 **업 업**	所 厂戶所所所 **바 소**	基 一廿苴其基 **터 기**
籍 竹竺箳籍籍 **문서 적**	甚 廿苴苴甚甚 **심할 심**	無 一仁無無無 **없을 무**	竟 亠音音竟竟 **마침내 경**

篤初誠美　무슨 일을 하더라도 처음에 신중히 하여라.
愼終宜令　처음뿐만 아니라, 끝맺음도 좋아야 한다.
榮業所基　위와 같이 잘 지키면 그것은 번성의 기본이 된다.
籍甚無竟　그뿐만 아니라, 자신의 명예로운 이름이 길이 전해지리라.

學 學 「 F F F F 與 學 배울 학	優 優 亻 俨 俨 傻 優 넉넉할 우	登 登 フ 㸯 癶 癶 登 登 오를 등	仕 仕 ノ 亻 亻 什 仕 벼슬 사
攝 攝 扌 护 押 捏 攝 잡을 섭	職 職 耳 耳 聯 職 職 일 직	從 從 亻 从 仦 샂 從 좇을 종	政 政 丁 下 正 政 政 정사 정
存 存 一 ナ 才 存 存 있을 존	以 以 丨 丨 以 以 以 써 이	甘 甘 一 十 廿 廿 甘 달 감	棠 棠 " 씃 씃 告 棠 棠 아가위 당
去 去 一 十 士 去 去 갈 거	而 而 一 丆 丙 而 而 어조사 이	益 益 八 仝 谷 益 益 더할 익	詠 詠 言 訃 詠 詠 詠 읊을 영

學優登仕 배운 바가 넉넉하면 벼슬길에 오른다.
攝職從政 벼슬을 잡아 정사에 따른다는 마음으로 정치에 참여한다.
存以甘棠 주나라의 소공이 아가위나무 아래에서 백성을 교화하였다.
去而益詠 소공이 죽자 남국의 백성이 그 덕을 기리어 감당시를 읊었다.

樂 自 幼 樂 樂 樂 즐 길 락	殊 万 歹 � 殊 殊 다 를 수	貴 口 中 串 串 貴 귀 할 귀	賤 貝 貯 賤 賤 賤 천 할 천
禮 示 礻 禮 禮 禮 예 도 례	別 口 口 另 別 別 다 를 별	尊 八 什 酋 尊 尊 높 을 존	卑 丿 白 白 卑 卑 낮 을 비
上 一 十 上 윗 상	和 二 千 禾 和 和 화 할 화	下 一 丁 下 아 래 하	睦 目 目 昧 睦 睦 화 목 할 목
夫 一 二 夫 夫 남 편 부	唱 口 叩 叩 唱 唱 부 를 창	婦 女 女帚 女帚 女帚 婦 아 내 부	隨 阝 阝 阵 隋 隨 따 를 수

樂殊貴賤　풍류는 그 귀천이 다르다. 즉, 천자와 제후, 사대부가 각각 다르다.
禮別尊卑　예의와 존비의 분별이 있다.　즉, 군신·부자·부부·장유·봉우간에는 차별이
　　　　　있다.
上和下睦　위에서 사랑하고, 아래에서 공경함으로써 화목하게 된다.
夫唱婦隨　지아비가 부르면 지어미가 따른다. 즉, 원만한 가정을 뜻한다.

外 ノクタ外外 밖 외	受 一爫受受 받을 수	傅 イ甪俥傳傳 스승 부	訓 言言訓訓 가르칠 훈
入 ノ入 들 입	奉 三丰夫夫奉 받들 봉	母 乚口母母母 어미 모	儀 亻俟俤儀儀 거동 의
諸 言許諸諸諸 모두 제	姑 乚女女妙姑 고모 고	伯 亻亻伯伯伯 맏 백	叔 上才未叔叔 아저씨 숙
猶 ノ犭犭狛猶 같을 유	子 了子 아들 자	比 一十上比 견줄 비	兒 ᄀᄃᄇ臼兒 아이 아

外受傳訓 나이가 차면 밖에 나아가 스승의 가르침을 받아야 한다.
入奉母儀 집에 들어서는 어머니를 받들어 거동해야 한다.
諸姑伯叔 고모와 백부, 숙부 들은 모두 친척이다.
猶子比兒 조카들도 자기 아이들과 같이 대해야 한다.

孔 孔	懷 懷	兄 兄	弟 弟
孔	懷	兄	弟
ㄱ 了 子 孔	ㆍ 忄 忄 愕 懷 懷	ㅣ ㅁ ㅁ ㅁ 兄	ㅛ ㅛ 弔 弟 弟
구 멍 공	품 을 회	맏 형	아 우 제

同 同	氣 氣	連 連	枝 枝
同	氣	連	枝
ㅣ 冂 冂 同 同	ㆍ 气 气 気 氣	亩 亩 車 連 連	ㅓ 木 术 枋 枝
한 가 지 동	기 운 기	연 할 련	가 지 지

交 交	友 友	投 投	分 分
交	友	投	分
ㆍ ㅗ 六 亥 交	一 ナ 方 友	ㆍ ㅓ 扌 抄 投 投	ㆍ 八 分 分
사 귈 교	벗 우	던 질 투	나 눌 분

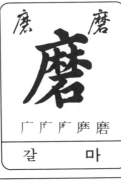

切 切	磨 磨	箴 箴	規 規
切	磨	箴	規
一 七 切 切	广 庁 庐 麻 磨	竹 产 笁 箴 箴	三 夫 扣 担 規
짜 를 절	갈 마	경 계 잠	법 규

孔懷兄弟　형제는 서로 사랑하여 의좋게 지내야 한다.
同氣連枝　형제는 부모의 정기를 함께 받았으니, 이는 나무의 가지와도 같다.
交友投分　사귀는 벗은 서로 분에 맞는 사람끼리라야 한다.
切磨箴規　열심히 닦고 배워서 사람으로서의 도리를 지켜야 한다.

仁	慈	隱	惻
ノイ仁仁	茝玆慈慈	㇗阝阽阽隱	忄忚惧惻惻
어 질 인	인 자 할 자	숨 을 은	슬 플 측

造	次	弗	離
㇑牛告告造	㇀冫㇖次次	一二弓弗弗	㇐甬龺離離
지 을 조	버 금 차	아 닐 불	떠 날 리

節	義	廉	退
竹竹笳笳節	丷羊羊義義	广户庐庚廉	㇕艮艮退退
마 디 절	옳 을 의	청 렴 렴	물 러 갈 퇴

顚	沛	匪	虧
㇗旨眞顚顚	氵氵汇沛沛	匚匹匹匪匪	广户虍虧虧
기 울 어 질 전	자 빠 질 패	아 닐 비	이 지 러 질 휴

仁慈隱惻　어진 마음으로써 다른 사람을 사랑하고 측은하게 여겨라.
造次弗離　항상 다른 사람을 동정하는 마음을 지녀라.
節義廉退　절개, 의리, 청렴과 물러감(사양함)을 지켜야 한다.
顚沛匪虧　엎어지고 자빠져도 이지러지는 것은 아니다.

性 性 **性** 丶忄忄忄性 성품 성	靜 靜 **靜** 主青靜靜靜 고요 정	情 情 **情** 丶忄忄情情 뜻 정	逸 逸 **逸** 彡色免免逸 편안할 일 
心 心 **心** 丶心心心 마음 심	動 動 **動** 言重重動動 움직일 동 	神 神 **神** 二千示祁神 귀신 신 	疲 疲 **疲** 广疒疒疒疲 가쁠 피 
守 守 **守** 丶宀宀守守 지킬 수	眞 眞 **眞** 亠旨旨眞眞 참 진	志 志 **志** 一十士志志 뜻 지	滿 滿 **滿** 汁汁滿滿滿 찰 만
逐 逐 **逐** 豕豕豕豕逐 쫓을 축	物 物 **物** 乍牛牛物物 만물 물	意 意 **意** 亠音音意意 뜻 의	移 移 **移** 二禾移移移 옮길 이 

性靜情逸 성품이 고요하면 뜻이 편안하다.
心動神疲 마음이 움직이면 신기도 피곤하다.
守眞志滿 사람의 도리를 지키면 뜻이 충만하다.
逐物意移 물건을 탐내어 욕심이 많으면 마음도 변한다.

堅 丨 丆 臣 臤 堅 굳을 견	持 扌 扌 扩 持 持 가질 지	雅 匚 牙 邪 邪 雅 맑을 아	操 扌 护 护 搵 操 지조 조
好 乚 乚 女 好 好 좋을 호	爵 爫 畧 爵 爵 爵 벼슬 작	自 冂 门 自 自 스스로 자	縻 广 庀 麻 麼 縻 얽을 미
都 土 耂 者 者 都 도읍 도	邑 口 무 무 뮤 邑 고을 읍	華 艹 芈 莩 莘 華 빛날 화	夏 一 丆 百 夏 夏 여름 하
東 一 亘 百 車 東 東 동녘 동	西 一 丙 丙 西 西 서녘 서	二 一 二 두 이	京 宀 古 宁 京 京 서울 경

堅持雅操　맑은 절조를 굳게 지키면 도리도 극진하다.
好爵自縻　벼슬을 얻어 천작을 극진히 하면 인작이 스스로 이르게 된다.
都邑華夏　도읍은 왕성의 지위를, 화하는 당시의 중국을 가리킨다.
東西二京　동과 서에는 두 서울이 있다. 즉, 동경은 낙양이고, 서경은 장안이다.

背 一 丁 才 扎 背 등 배	邙 亡 亡 邙 터 망	面 丆 币 而 面 面 낯 면	洛 氵 氵 沒 洛 洛 낙 수 락
浮 氵 氵 泙 浮 浮 뜰 부	渭 氵 汩 渭 渭 渭 위 수 위	據 扌 扩 捽 捒 據 웅 거 할 거	涇 氵 汀 涇 涇 涇 경 수 경
宮 宀 宀 宀 宮 宮 집 궁	殿 厂 屉 屉 屉 殿 대 궐 전	盤 力 角 角 般 盤 서 릴 반	鬱 木 柳 柳 柳 鬱 답 답 울
樓 栌 桮 楼 樓 樓 다 락 루	觀 艹 萨 雚 觀 觀 볼 관	飛 飞 飞 飞 飛 飛 날 비	驚 芍 敬 蓹 驚 驚 놀 랄 경

背邙面洛　동경의 북에는 북망산이 있고, 낙양의 남에는 낙천이 있다.

浮渭據涇　위수에 뜨고, 경수에 웅거했다. 즉, 장안의 서북에는 위천과 경수의 두 물이 있었다.

宮殿盤鬱　궁전은 울창한 나무 사이에 서린 듯이 정하였다.

樓觀飛驚　전망대는 높아서 올라가면 나는 듯이 놀라게 된다.

 圖 冂冂冏圖圖 그림 도	寫 宀宁宛寫寫 베낄 사	 禽 人含含禽禽 새 금	 獸 𡆥嘼嘼獸獸 짐승 수
畫 ⺕圭書書畫 그림 화	 綵 幺糹紵絆綵 채색 채	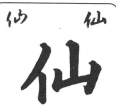 仙 丿亻仙仙仙 신선 선	 靈 雨雫霊靈靈 신령 령
丙 一丆冂丙丙 남녘 병	 舍 人今全舍舍 집 사	 傍 亻伫倍傍傍 곁 방	 啓 厂戶戶啓啓 열 계
 甲 丨冂日日甲 갑옷 갑	帳 冂巾帳帳帳 장막 장	對 业业對對對 대답 대	楹 木木栭楹楹 기둥 영

圖寫禽獸　화가들이 새와 짐승을 그리고 베끼었다.
畫綵仙靈　신선과 신령의 그림도 채색되었다.
丙舍傍啓　병사 곁에 통고를 열었다. 즉, 궁전을 출입하는 사람들의 편의를 도모했다.
甲帳對楹　갑장이 기둥을 대하였다. 즉, 동방삭이 갑장을 지어서 임금이 잠시 머무르게 하였다.

肆 ᅡ 튽 튽 肂 肆 베 풀 사	筵 ᄼ ᄽ ᄽ ᄽ 筵 자 리 연	設 ᆖ 言 訊 設 設 베 풀 설	席 广 庐 庐 庐 席 자 리 석
鼓 ᆂ 吉 吉 吉 鼓 북 고	瑟 王 珏 珏 瑟 瑟 비 파 슬	吹 ᅵ ロ 吹 吹 吹 불 취	笙 ᄽ ᄽ ᄽ 竿 笙 저 생
陞 阝 阝 阦 陞 陞 오 를 승	階 ᄀ 阝 阵 陛 階 뜰 계	納 ᄼ 糸 糸 納 納 바 칠 납	陛 ᄀ 阝 阵 陛 陛 섬 돌 폐
弁 ᅩ ᅀ ᅀ 幵 弁 고 깔 변	轉 車 輏 轉 轉 轉 구 를 전	疑 ᄼ 髹 髹 疑 의 심 할 의	星 ロ 日 旦 早 星 별 성

肆筵設席　자리를 베풀고, 돗을 베풀었다. 즉, 연회하는 곳이다.
鼓瑟吹笙　비파를 치고, 저를 불었다. 즉, 잔치를 베풀었다.
陞階納陛　계단을 올라서 물건을 바치었다. 즉, 문무백관이 임금께 납폐하였다.
弁轉疑星　고깔에서 구르니 별인 듯 의심하였다. 즉, 관에서 번쩍이는 구슬이 마치 별과도
　　　　　같았다.

右

ノナ才右右

오른우

通

マ肖甬甬通

통할통

廣

广产庐廣廣

넓을광

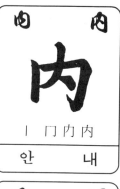

內

丨冂内内

안 내

左

一ナ圥左左

왼 좌

達

圥去幸幸達

통달할달

承

了手丞承承

이을승

明

丬日月明明

밝을명

既

白皀皀旣旣

이미기

集

亻什隹集集

모을집

墳

土圹圹堉墳

무덤분

典

冂曲曲曲典

법 전

亦

亠亣亣亦亦

또 역

聚

厂耳聚聚聚

거둘취

群

ヨ尹群群群

무리군

英

艹芍芇英英

꽃부리영

右通廣內　오른쪽에는 광내가 통하였다. 광내는 나라의 비서를 두는 집이다.
左達承明　왼편에는 승명이 통달하였다. 승명은 사기를 교열하는 집이다.
既集墳典　이미 분과 전을 모았다. 삼황의 글은 삼분이고, 오제의 글은 오전이다.
亦聚群英　또한 여러 영웅들도 모았다.

杜 막을 두	稾 짚 고	鍾 쇠북 종	隷 글씨 예
漆 옻 칠 칠	書 글 서	壁 벽 벽	經 글 경
府 마을 부	羅 벌 라	將 장수 장	相 서로 상
路 길 로	俠 낄 협	槐 삼공 괴	卿 벼슬 경

杜稾鍾隷　두고와 종례의 글도 비치되었다. 두고는 초서를 처음으로 썼고, 종례는 예서를 처음으로 썼다.

漆書壁經　서골과 육경도 비치되었다. 서골은 한나라 영제가 돌벽에서 발견했고, 육경은 공자가 발견하였다.

府羅將相　마을 좌우에는 장수와 정승이 벌려 서 있었다.

路俠槐卿　길에 고관인 삼공 구경이 마차를 타고 궁전으로 들어가는 모습이다.

戶 一厂戶戶 문 호	封 土圭圭封封 봉할 봉	八 ノ八 여덟 팔	縣 日甲県縣縣 고을 현
家 宀宁宁家家 집 가	給 幺糸絎給給 줄 급	千 一二千 일천 천	兵 厂厂斤斤兵 군사 병
高 亠高高高高 높을 고	冠 冖冠冠冠 갓 관	陪 孑阝阽阼陪 모실 배	輦 夫扶扶替輦 연 련
驅 馬馬馬馬驅驅 몰 구	轂 吉専轂轂 바퀴 곡	振 扌扩挥振振 떨칠 진	纓 幺糸綱纓纓 끈 영

戶封八縣　여덟 고을 민호를 주어서 공신을 봉하였다.
家給千兵　일천 군사를 주어서 그 집을 호위하였다.
高冠陪輦　높은 관을 쓰고, 연을 모시었다. 즉, 제후의 예로 대접하였다.
驅轂振纓　수레를 모는데 갓끈이 흔들렸다. 즉, 임금 출행에 제후의 위엄이 있다.

世	禄	侈	富
世	禄	侈	富
一 十 卅 廿 世	礻 礻 礻 祷 禄	亻 亻 亻 侈 侈	宀 宀 宣 富 富
인 간 세	녹 록	사 치 할 치	부 자 부

車	駕	肥	輕
車	駕	肥	輕
一 一 百 亘 車	力 加 架 駕 駕	月 刖 刖 肌 肥	亘 車 軒 輕 輕
수 레 거	멍 에 가	살 찔 비	가 벼 울 경

策	功	茂	實
策	功	茂	實
丿 ⺮ 笋 笋 策	一 丁 工 功 功	艹 芦 芪 茂 茂	宀 宁 宙 實 實
꾀 책	공 공	무 성 할 무	열 매 실

勒	碑	刻	銘
勒	碑	刻	銘
卄 昔 革 靪 勒	石 矿 砷 碑 碑	亠 亥 亥 亥 刻	牟 金 釸 鈔 銘
굴 레 륵	비 석 비	새 길 각	새 길 명

世祿侈富 　대대로 녹이 사치하고, 부하였다. 즉, 제후 자손이 세세 관록을 상전하였다.
車駕肥輕 　수레를 끄는 말은 살찌고, 멍에는 가벼웠다.
策功茂實 　공을 도모함에 무성하고, 충실하였다.
勒碑刻銘 　비석에 그 이름을 새기어 그 공을 전하였다.

 磻	溪	 伊	 尹
ㄱㄱ 碓 砰 磻	氵 氵 汸 泮 溪	亻亻 仃 仔 伊	ㄱ ㄱ ㄱ 尹
돌 반	시내 계	저 이	다스릴 윤

佐	 時	阿	 衡
亻 亻 伫 佐 佐	川 日 旪 時 時	阝 阝 阝 阿 阿	亻 彳 徻 衡 衡
도울 좌	때 시	언덕 아	저울대 형

奄	宅	曲	 阜
广 犬 存 存 奄	宀 宀 空 宅	丨 冂 曲 曲 曲	丿 户 自 皀 阜
오랠 엄	집 택	굽을 곡	언덕 부

微	旦	孰	 營
亻 彳 微 微 微	丨 冂 曰 旦 旦	享 享 郭 孰 孰	丷 火 燃 營 營
작을 미	아침 단	누구 숙	경영 영

磻溪伊尹　문왕은 반계에서 강태공을 맞고, 은왕은 신야에서 이윤을 맞았다.
佐時阿衡　때를 돕는 아형이다. 아형은 상나라 재상의 칭호이다.
奄宅曲阜　주공이 공을 보답하는 마음으로 노국을 봉한 후, 곡부에 궁전을 세웠다.
微旦孰營　단이 아니면 누구를 위하여 궁전을 세웠으랴.

桓 木 朽 朽 栢 桓 굳셀 환	公 ノ 八 公 公 귀 공	匡 一 二 丁 王 匡 바를 광	合 ノ 人 스 合 合 모을 합
濟 氵氵 沪 湾 濟 濟 건질 제	弱 一 二 弓 弓 弱 약할 약	扶 十 扌 扗 扶 扶 붙들 부	傾 亻 亻 化 佰 傾 기울 경
綺 幺 糸 紵 綺 綺 비단 기	回 丨 冂 冋 回 回 돌아올 회	漢 氵 氵 沪 潜 漢 나라 한	惠 亩 車 車 惠 惠 은혜 혜
說 言 訂 訂 設 說 말씀 설	感 厂 咸 咸 咸 感 느낄 감	武 一 二 一 千 正 武 호반 무	丁 一 丁 장정 정

桓公匡合　환공은 바르게 하고 모았다. 즉, 초를 물리치고, 난을 평정하였다.
濟弱扶傾　약한 나라를 구제하고, 기우는 제신을 도왔다.
綺回漢惠　현인의 한 사람인 기가 한나라의 혜제를 회복시켰다.
說感武丁　부열이 역사하매 무정의 꿈에 감동되어 정승을 삼았다.

俊 亻仁仆俗俊 준걸 준	乂 丿乂 재주 예	密 宀少宓宓密 빽빽할 밀	勿 丿勹勿勿 말 물
多 丿クタ多多 많을 다	士 一十士 선비 사	寔 宀宀宣寔寔 이 식	寧 宀宓寍寍寧 편안 녕
晉 亚亚亚晋晋 나라 진	楚 十杜楚楚楚 나라 초	更 一百百更更 다시 갱	霸 雨雫雫霸霸 으뜸 패
趙 丰走赴趙趙 나라 조	魏 禾委魏魏魏 나라 위	困 丨冂用困困 곤할 곤	橫 木杧構橫橫 비낄 횡

俊乂密勿　준걸과 재사가 모여서 빽빽하였다.
多士寔寧　선비들이 많아서 나라가 안녕하였다.
晉楚更霸　진과 초가 다시 패권을 쥐었다. 즉, 진문공과 초장왕이 패왕이 되었다.
趙魏困橫　조와 위는 횡에 곤하였다. 즉, 육국 때에 진나라를 섬기자 함을 횡이라 했다.

 假 イイ仁仮假 거 짓 가	 途 ハ今余余途 길 도	 滅 氵沪滅滅滅 멸 할 멸	 虢 丐平乎號號 나 라 괵
踐 卩疒踐踐踐 밟 을 천	土 一 十 土 흙 토	會 ハ合合命會 모 일 회	盟 冂日明明盟 맹 세 맹
何 ノイ广仃何 어 찌 하	遵 兯酋尊尊遵 좇 을 준	約 幺糸約約約 언 약 약	法 氵沪汁法法 법 법
韓 古卓斡韓韓 나 라 한	弊 尚尚敝敝弊 해 칠 폐	煩 ノ火灯炳煩 번거로울 번	刑 二 于 开 刑 刑 형 벌 형

假途滅虢　길을 빌어서 괵국을 멸하였다. 즉, 진헌공이 우국길을 빌어 괵국을 멸하였다.
踐土會盟　천토에 모아 맹세하였다. 즉, 진문공이 제후를 천토에 모아 맹세하고, 협천자영
　　　　　　제후했다.

何遵約法　소하는 한고조와 더불어 약법 삼장을 정하여 준행하였다.
韓弊煩刑　한비는 진왕을 달래어 형벌을 내리다가 그 형벌로써 죽었다.

起 土 キ 走 起 起 일어날기	翦 一 亓 前 翦 翦 자를전	頗 丿 厂 皮 皮頁 頗 치우칠파	牧 ㅏ ㅓ 牛 牛 牧 칠 목
用 丿 冂 月 月 用 쓸 용	軍 冖 宀 冒 冒 軍 군사군	最 曰 旦 早 昻 最 가 장 최	精 丷 籵 精 精 精 정교할정
宣 宀 宀 盲 官 宣 베풀 선	威 丿 戉 威 威 威 위엄위	沙 氵 汀 沙 沙 沙 모 래 사	漠 氵 氵 渲 漠 漠 아득할막
馳 冂 馬 馿 馳 馳 달릴 치	譽 臼 臼 與 與 譽 기 릴 예	丹 丿 冂 月 丹 붉을 단	青 十 圭 青 青 青 푸 를 청

起翦頗牧　백기와 왕전은 진의 장수이고, 염파와 이목은 조의 장수였다.
用軍最精　군사 쓰기를 가장 정성되이 하였다.
宣威沙漠　위엄이 멀리 사막에까지도 선양되었다.
馳譽丹青　명예는 길이 전하기 위하여 그 초상을 기린각에 그렸다.

九 ノ九 아홉 구	州 `] 州 州 州 고을 주	禹 一 ロ 禹 禹 禹 임금 우	跡 ロ ア 趵 跡 跡 자취 적
百 一 ア 百 百 百 일백 백	郡 フ ラ 君 郡 郡 고을 군	秦 三 夫 奉 秦 秦 나라 진	并 ` ` 兰 并 并 아우를 병
嶽 ´ 巜 崇 嶽 嶽 큰 산 악	宗 ` ` 宇 宗 宗 근본 종	恒 ` ↑ 恒 恒 恒 항상 항	岱 ノ 代 代 岱 岱 메 대
禪 示 祠 禮 禮 禪 터 닦을 선	主 ` ` 十 主 主 임금 주	云 一 二 云 云 이를 운	亭 一 亩 亩 亭 亭 정자 정

九州禹跡　하우씨가 구주를 분별하였다. 구주는 기·연·청·서·양·형·예·옹·동이다.
百郡秦并　진시황이 천하 봉군하는 법을 폐하고, 일백 군을 두었다.
嶽宗恒岱　오악은 항산과 태산이 조종이다. 오악은 동태·서화·남형·북항·중숭산이다.
禪主云亭　운과 정은 천자를 봉선하고 제사하는 곳이었다. 운정은 태산에 있다.

雁 厂厂厂厍雁 기러기 안	門 丨冂冂門門門 문 문	紫 止此紫紫紫 자주색 자	塞 宀宀宒寒塞 변방 새
鷄 卆刻鷄鷄鷄 닭 계	田 丨冂田田田 밭 전	赤 十ナ产赤赤 붉을 적	城 圫坊城城城 재 성
昆 冃旱尸昆昆 만 곤	池 氵氵汁池池 못 지	碣 石矿碣碣碣 돌 갈	石 一ナ丆石石 돌 석
鉅 䒑牟金釸鉅 톱 거	野 日甲里野野 들 야	洞 氵沪洞洞洞 골 동	庭 广庐庐庭庭 뜰 정

雁門紫塞　기러기가 북으로 가는 고로 안문이라 했고, 흙이 붉은 고로 자색이라 했다.
鷄田赤城　계전은 옹주에 있고, 적성은 기주에 있다.
昆池碣石　곤지는 운남 곤명에 있고, 갈석은 부평에 있다.
鉅野洞庭　거야는 태산 동쪽에 있는 광야이고, 동정은 호남성에 있는 중국 제일의 호수이다.

曠  日 旷 旷 曠 曠 빌 광	遠  土 吉 袁 遠 遠 멀 원	綿  糸 糸 綿 綿 綿 솜 면	邈  豸 豸 豿 貌 邈 멀 막
巖  屵 屵 巖 巖 巖 바위 암	岫 山 屵 峀 岫 岫 메뿌리수	杳 一 十 木 杏 杳 아득할묘	冥 冖 宀 冝 冝 冥 어두울명
治 氵 氵 沪 治 治 다스릴치	本 一 十 才 木 本 근 본 본	於 丶 方 方 於 於 늘 어	農 口 曲 農 農 農 농 사 농
務 マ 予 矛 矜 務 힘쓸 무	玆 亠 十 玄 玆 玆 이 자	稼 三 禾 秆 稼 稼 심을 가	穡 禾 种 稕 穡 穡 거 둘 색

曠遠綿邈　광야는 아득히 멀리 솜처럼 줄지어 있다.
巖岫杳冥　큰 바위와 메뿌리가 묘연하고 아득하다.
治本於農　나라 다스리는 근본은 농사이다. 즉, 중농 정치를 뜻한다.
務玆稼穡　때를 놓치지 말고 심고 거두는 데에 힘써야 한다.

俶	載	南	畝
亻仏仕俶俶	士壹車載載	一市市南南	一亩亩畝畝
비로소숙	실을재	남녘남	이랑묘

我	藝	黍	稷
二手我我我	艹藝藝藝藝	一千禾黍黍	禾禾稈稷稷
나아	재주예	기장서	피직

稅	熟	貢	新
二千禾稅稅	享郭孰孰熟	一工盲盲貢	立亲新新新
부세세	익힐숙	바칠공	새신

勸	賞	黜	陟
艹萨萨勸勸	氺尚尚嘗賞	甲里黑黜黜	阝阝陟陟陟
권할권	상줄상	내칠출	오를척

俶載南畝　　비로소 남양의 밭에서 농작물을 기른다.
我藝黍稷　　나는 기장과 피를 심는 농사일에 정성을 다하겠다.
稅熟貢新　　곡식이 익으면 세를 내고, 새로운 곡식으로 종묘에 제사를 올린다.
勸賞黜陟　　열심히 일한 자에게는 상을 주고, 게으리한 자는 출척했다.

孟 了 子 舌 舌 孟 맏 맹	軻 輛 軻 수 레 가	敦 두 터 울 돈	素  十 丰 素 素 素 힐 소
史 丨 口 口 史 史 사 기 사	魚  ク 勹 角 魚 魚 물 고 기 어	秉 一 三 手 秉 秉 잡 을 병	直 十 古 直 直 直 곧 을 직
庶 广 广 庶 庶 庶 여 럿 서	幾 얼 마 기	中 丨 口 口 中 가 운 데 중	庸 一 戶 庸 庸 庸 떳 떳 용
勞 火 勞 勞 수 고 할 로	謙 言 訓 詳 謙 謙 겸 손 겸	謹 言 訓 詳 謹 謹 삼 갈 근	勅 古 申 東 勅 勅 칙 서 칙

孟軻敦素　맹자는 그 어머니의 교훈을 받아 자사 문하에서 배웠다.
史魚秉直　사어는 그 성격이 매우 강직하였다. 사어는 위나라의 태부였다.
庶幾中庸　어떤 일이든 한쪽으로 기울어지도록 하면 안 된다.
勞謙謹勅　근로하고 겸손하며, 삼가고 신칙해야 한다.

聆	音	察	理
⌐ 耳 耶 耹 聆	亠 立 音 音 音	宀 宀 宵 察 察	丁 王 罪 理 理
들을 령	소리 음	살필 찰	도리 리
鑑	貌	辨	色
釒 釤 鋼 鑑 鑑	豸 豸 豹 豹 貌	立 辛 新 辨 辨	⺈ 色 色 色 色
거울 감	모양 모	분별할 변	빛 색
貽	厥	嘉	猷
月 貝 貯 貽 貽	厂 厈 厥 厥 厥	吉 吉 壴 嘉 嘉	八 酋 酋 猷 猷
끼칠 이	그 궐	아름다울 가	꾀 유
勉	其	祗	植
⺈ 免 免 勉 勉	一 廿 甘 其 其	示 示 祇 祗 祗	十 木 杧 植 植
힘쓸 면	그 기	공경 지	심을 식

聆音察理　소리를 듣고, 거동을 살펴 주의해야 한다.
鑑貌辨色　모양과 거동으로써 그 사람의 마음씨를 분별한다.
貽厥嘉猷　착한 일을 하여 자손에게 아름다운 것을 남겨야 한다.
勉其祗植　착한 것을 자손에게 줄 것을 힘써야 좋은 가정을 이룬다.

省 ノ 小 少 省 省 살 필 성	躬 ſ 自 身 身 躬 몸 궁	譏 言 言 言 譏 譏 나무랄기	誡 言 訁 訊 誡 誡 경 계 계
寵 宀 宀 宵 寵 寵 사랑할총	增 土 圵 圬 增 增 더 할 증	抗 一 扌 扩 扩 抗 겨룰항	極 木 杧 柯 極 極 극진할극
殆 一 歹 列 殆 殆 위 태 태	辱 厂 辰 辰 辱 辱 욕 할 욕	近 厂 斤 斤 沂 近 가까울근	恥 F 耳 耳 耻 恥 부끄러울 치
林 一 十 木 杵 林 수 풀 림	皐 白 自 自 皐 언 덕 고	幸 土 吉 圭 幸 幸 다 행 행	即 白 自 自 卽 即 곧 즉

省躬譏誡 기롱과 경계함이 있는지를 염려하여 몸을 살펴라.
寵增抗極 총애가 더할수록 교만하지 말고 더욱 극진해야 한다.
殆辱近恥 총애를 받는다고 욕된 일을 하면 멀지 않아 위태로움과 치욕이 온다.
林皐幸即 산간 수풀에서 사는 것도 바로 다행스런 일이다.

兩 一 ㄇ 币 币 兩 兩 두 량	疏 一 了 ヱ 疏 疏 성길 소	見 ㄇ 月 目 貝 見 볼 견	機 木 櫟 櫟 機 機 틀 기
解 角 角 觧 解 解 풀 해	組 ㄑ 幺 糸 紅 組 짤 조	誰 言 訓 訓 訓 誰 누구 수	逼 一 ㅋ 畐 畐 逼 핍박할 핍
索 十 声 赤 素 索 찾을 색	居 一 尸 尻 居 居 살 거	閑 ㄇ �尸 門 門 閑 한가한	處 ㄥ 广 虍 虍 處 곳 처
沈 丶 氵 汀 沙 沈 잠길 침	默 ㄗ 甲 黑 默 默 잠잠할 묵	寂 宀 宀 宇 宋 寂 고요할 적	寥 宀 宋 寏 寏 寥 쓸쓸할 료

兩疏見機　한나라의 소광과 소수는 기틀을 본 후에 상소하였다.
解組誰逼　관의 끈을 풀고(즉, 사직하고) 돌아가니 누가 핍박하리오.
索居閑處　퇴직하여 한가로이 살 곳을 찾아 세상을 보낸다.
沈默寂寥　언행은 잠잠하고도 고요하게 해야 한다.

求	古	尋	論
一十才求求	一十十古古	ヨ尹尋尋尋	言訃診詥論
구 할 구	예 고	찾 을 심	의 론 론

散	慮	逍	遙
卄芹昔散散	广卢虏虑慮	丷丷甪甪逍	夕夗夗夅遙
흩 을 산	생 각 려	노 닐 소	멀 요

欣	奏	累	遣
厂斤斤欣欣	三丰夫奏奏	田田畏累累	中屮㠯豈遣
기 쁠 흔	아 뢸 주	여 러 루	보 낼 견

慼	謝	歡	招
厂庶戚戚慼	言訃訃謝謝	艹萻萻藿歡	扌扌招招招
슬 플 척	사 례 사	즐 길 환	부 를 초

求古尋論　옛일을 찾아 의론하려면 고인을 찾아 토론해야 한다.
散慮逍遙　세상일을 잊고, 자연 속에서 한가로이 노닌다.
欣奏累遣　기쁜 일은 아뢰고, 더러움은 보내어라.
慼謝歡招　슬픈 것은 보내고, 즐거움은 부른다.

渠	荷	的	歷
氵 汀 沪 渠 渠	一 艹 茫 荷 荷	′ 白 白 的 的	厂 厂 厤 歷 歷
개 천 거	연 하	과 녁 적	지 낼 력
園	莽	抽	條
冂 冃 園 園 園	艹 艹 萰 莽 莽	扌 扣 扣 抽 抽	亻 仃 俢 俢 條
동 산 원	풀 망	빼 낼 추	가 지 조
枇	杷	晚	翠
十 木 朴 朴 枇	十 朴 朴 朴 杷	刂 日 昉 晚 晚	ヲ 羽 翠 翠 翠
나 무 비	나 무 파	늦 을 만	푸 를 취
梧	桐	早	凋
木 柯 柯 梧 梧	木 杞 杞 桐 桐	丨 冂 日 旦 早	冫 冫 氿 凋 凋
오 동 오	오 동 동	이 를 조	마 를 조

渠荷的歷　개천의 연꽃도 아름다우니, 향기 또한 잡아 볼 만하다.
園莽抽條　동산의 풀은 땅 속의 양분으로 가지가 뻗고 자란다.
枇杷晚翠　비파나무는 철이 늦어도 그 빛이 푸르다.
梧桐早凋　오동나무는 다른 나무보다 먼저 마른다.

陳	根	委	翳
陳	根	委	翳
了 阝 阾 陣 陳	木 朾 柤 桹 根	二 禾 秃 委 委	𢀛 翳 翳 翳
베 풀 진	뿌 리 근	맡 길 위	가 릴 예

落	葉	飄	颻
落	葉	飄	颻
艹 艻 茨 落 落	艹 苹 葉 葉 葉	西 票 飄 飄 飄	夕 匋 匋阝 颻 颻
떨 어 질 락	잎 사 귀 엽	날 릴 표	날 릴 요

遊	鯤	獨	運
遊	鯤	獨	運
方 扩 斿 斿 遊	角 魚 鮒 鯡 鯤	犭 犭 犸 獨 獨	宀 亘 軍 軍 運
놀 유	고 니 곤	홀 로 독	운 전 운

凌	摩	絳	霄
凌	摩	絳	霄
冫 冻 冹 凌 凌	广 床 麻 麻 摩	糹 糸 絳 絳 絳	雨 雫 霄 霄 霄
업 신 여 길 릉	문 지 를 마	붉 을 강	하 늘 소

陳根委翳　가을이 오면 오동뿐만 아니라, 고목의 뿌리도 시들어 마른다.
落葉飄颻　가을이 오면 낙엽이 펄펄 날리며 떨어진다.
遊鯤獨運　곤어는 큰 고기이므로 홀로 헤엄쳐서 논다.
凌摩絳霄　곤어가 봉새로 화하여 구천에 이른다. 즉, 사람의 운수를 뜻한다.

耽 F 耳 耵 耽 耽 즐길 탐	讀 言 讀 讀 讀 讀 읽을 독	翫 翟 翌 翌 翫 翫 탐할 완	市 亠 广 方 市 저자 시
寓 宀 宀 寓 寓 寓 붙일 우	目 丨 冂 目 目 目 눈 목	囊 亩 亩 靁 囊 囊 주머니 낭	箱 竹 笁 第 箱 箱 상자 상
易 丨 冂 目 易 易 쉬울 이	輶 亘 車 軒 輶 輶 가벼울 유	攸 亻 亻 伩 攸 攸 바 유	畏 田 田 思 畏 畏 두려울 외
屬 尸 尸 屬 屬 屬 붙을 속	耳 一 丁 F 王 耳 귀 이	垣 十 土 圹 垣 垣 담 원	墻 十 土 圹 墻 墻 담 장

耽讀翫市 한나라의 왕충은 독서를 즐겨서 시장에서도 책을 보았다.
寓目囊箱 글을 한 번 읽으면 주머니나 상자 속에 둠과 같이 잊지를 않았다.
易輶攸畏 군자는 가볍게 움직이고 말하는 것을 두려워한다.
屬耳垣墻 벽에도 귀가 있는 듯이, 경솔히 말하는 것을 조심하여라.

 具 갖출구

膳 반찬선

飧 밥손

 飯 밥반

 適 마침적

口 입구

充 채울충

腸 창자장

飽 배부를포

飫 배부를어

烹 삶을팽

 宰 재상재

飢 주릴기

厭 싫을염

糟 재강조

糠 겨강

具膳飧飯　반찬을 갖추고서 밥을 먹어라.
適口充腸　훌륭한 음식이 아닐지라도 입에 맞으면 배를 채워라.
飽飫烹宰　배가 부를 때에는 제아무리 좋은 음식이라도 그 맛을 모른다.
飢厭糟糠　배가 고플 때에는 겨와 재강이라도 맛이 있다.

親 立辛亲親親 친할 친	戚 ノ厂戚戚戚 겨레 척	故 十古故故故 연고 고	舊 艹萑舊舊舊 옛 구
老 十土耂老老 늙을 로	少 ノ小小少 젊을 소	異 口田田畢異 다를 이	糧 米粐粮糧糧 양식 량
妾 亠立产妾妾 첩 첩	御 彳彳徍御御 모실 어	績 纟糸紸績績 길쌈 적	紡 纟糸紤紡紡 길쌈 방
侍 亻什件侍侍 모실 시	巾 丨冂巾 수건 건	帷 口巾帷帷帷 장막 유	房 厂戶戶房房 방 방

親戚故舊 친은 동성지친이고, 척은 이성지친이며, 옛 친구이다.
老少異糧 늙은이와 젊은이의 식사는 다르다.
妾御績紡 여자는 집안에서 길쌈을 짜며 어른을 모신다.
侍巾帷房 유방에 모시고, 수건을 받들어 시중을 든다.

紈 ㄠ ㄠ 糸 紈 紈 **깁 환**	扇 厂 戶 戶 扇 扇 **부채 선**	圓 冂 冃 冒 圓 圓 **둥글 원**	潔 氵 浐 渺 潔 潔 **맑을 결**
銀 牟 釒 釖 銀 銀 **은 은**	燭 灬 燭 燭 燭 燭 **촛불 촉**	 火 炉 炐 煒 煒 **빛날 위**	 火 炉 炉 煌 煌 **빛날 황**
晝 ⁊ 聿 書 書 晝 **낮 주**	眠 目 肝 肝 眠 眠 **잘 면**	 ノ ク 夕 **저녁 석**	 宀 宀 疒 痹 寐 **잘 매**
藍 艹 芷 藍 藍 藍 **쪽 람**	筍 ケ 竺 笋 筍 筍 **대순 순**	象 免 免 免 象 象 **코끼리 상**	床 亠 广 庐 床 床 **상 상**

紈扇圓潔　깁부채는 둥글고도 깨끗하다.
銀燭煒煌　은촛대의 촛불은 빛나서 휘황하다.
晝眠夕寐　낮에는 낮잠을 자고, 저녁에는 일찍 잔다.
藍筍象床　푸른 대순과 코끼리 상이다. 즉, 한가로운 사람의 침상을 뜻한다.

絃	歌	酒	讌
糸 糸 紂 紵 絃	司 哥 哥 歌 歌	氵 沅 沔 洒 酒	言 訮 詽 讌 讌
줄 현	노 래 가	술 주	잔 치 연

接	杯	舉	觴
扌 扩 挵 接 接	十 木 朽 朸 杯	臼 臼 賏 與 舉	角 舣 舻 觴 觴
이 을 접	잔 배	들 거	잔 상

矯	手	頓	足
矢 矫 矫 矯 矯	一 二 三 手	屯 屯 虹 頓 頓	口 早 무 무 足 足
들 교	손 수	두 드 릴 돈	발 족

悅	豫	且	康
忄 忄 忄 悦 悦	予 予 豫 豫 豫	冂 冂 目 目 且	广 庐 庚 康 康
기 쁠 열	미 리 예	또 차	편 안 강

絃歌酒讌　거문고를 타며, 술과 노래로써 잔치를 한다.
接杯擧觴　작고 큰 술잔을 서로 주고 받으며 즐긴다.
矯手頓足　손을 들고 발을 구르며 춤을 춘다.
悅豫且康　이와 같이 마음 편안히 즐기고 살면 단란한 가정이다.

嫡 嫡	後 後	嗣 嗣	續 續
嫡	後	嗣	續
女 妒 妒 嫡 嫡	ク 彳 彳 彳 後 後	口 月 胛 嗣 嗣	糸 紀 緒 續 續
맏 적	뒤 후	이을 사	이을 속

祭 祭	祀 祀	蒸 蒸	嘗 嘗
祭	祀	蒸	嘗
ク タ タ 尽 祭	一 千 亦 祀 祀	一 艹 艿 苤 蒸	' 尚 尙 嘗 嘗
제사 제	제사 사	찔 증	맛볼 상

稽 稽	顙 顙	再 再	拜 拜
稽	顙	再	拜
禾 秆 稆 稽 稽	孚 桑 豨 顙 顙	一 冂 冂 再 再	' 二 三 手 拝 拜
조아릴 계	이마 상	둘 재	절 배

悚 悚	懼 懼	恐 恐	惶 惶
悚	懼	恐	惶
' 忄 忄 悄 悚	' 忄 忄 懼 懼	工 巩 巩 恐 恐	' 忄 忄 惶 惶
두려울 송	두려울 구	두려울 공	두려울 황

嫡後嗣續　적실(즉, 장남)은 후에 계승하여 대를 잇는다.
祭祀蒸嘗　제사를 지내되 겨울 제사는 증이라 하고, 가을 제사는 상이라 한다.
稽顙再拜　이마를 조아려 조상님께 두 번 절한다.
悚懼恐惶　송구스럽고도 공황하니 두려움이 지극하다.

牋 편 지 전	牒 편 지 첩	簡 편 지 간	要 구 할 요
顧 돌 아 볼 고	答 대 답 답	審 살 필 심	詳 자 세 할 상
骸 뼈 해	垢 때 구	想 생 각 할 상	浴 목 욕 할 욕
執 잡 을 집	熱 뜨 거 울 열	願 원 할 원	凉 서 늘 할 랑

牋牒簡要 글과 편지는 간략해야 한다.
顧答審詳 편지의 회답은 잘 알 수 있게 자세하게 써야 한다.
骸垢想浴 몸에 때가 끼면 목욕할 생각을 하여라.
執熱願凉 날이 더우면 서늘하기를 바라게 된다.

驢 馬 馬 馬 驢 驢 나귀 려	騾 馬 馬 馬 騾 騾 노새 라	犢 牛 牛 牛 犢 犢 송아지 독	特 牛 牛 牜 特 特 특별 특
駭 馬 馬 馬 駭 駭 놀랄 해	躍 足 足 趵 趵 躍 뛸 약	超 土 走 走 起 超 뛰어넘을 초	驤 馬 馬 馬 驤 驤 달릴 양
誅 言 言 許 許 誅 벨 주	斬 車 車 斬 斬 斬 벨 참	賊 貝 財 財 賊 賊 도적 적	盜 冫 次 次 盜 盜 도적 도
捕 扌 扪 捐 捕 捕 잡을 포	獲 犭 犷 猚 獲 獲 얻을 획	叛 半 半 判 叛 叛 배반할 반	亡 亠 亡 亡 잊을 망

驢騾犢特　나귀와 노새와 송아지, 즉 가축을 뜻한다.
駭躍超驤　뛰고 노는 가축을 뜻한다.
誅斬賊盜　역적과 도둑은 베어서 물리쳐야 한다.
捕獲叛亡　배반하고 도망치는 사람은 잡아서 죄를 다스려야 한다.

布布 **布** ノナオ右布 베 포	討射 **射** 竹身身射射 쏠 사	遼遼 **遼** 大穴衣寮遼 멀 료	丸丸 **丸** ノ九丸 탄자환
稽稽 **稽** 二禾利秅稽 메 혜	吾琴 **琴** T王珏琴琴 거문고금	阮阮 **阮** 彐阝阝阽阮 성 완	嘯嘯 **嘯** 口叶啸啸嘯 휘파람소
恬恬 **恬** 丶忄忄恬恬 편안염	筆筆 **筆** ᄊ竺笁筆筆 붓 필	倫倫 **倫** 亻伫伶伶倫 인륜륜	紙紙 **紙** 幺糸紅紙紙 종이지
鈞鈞 **鈞** ᄉ숲金鈞鈞 무게단위균	巧巧 **巧** 一工工巧 공교할교	任任 **任** 亻亻仁仟任 맡길임	釣釣 **釣** ᄉ숲金釣釣 낚시조

布射遼丸　한나라의 여포는 활을 잘 쏘았고, 의료는 탄자를 잘 던지었다.
稽琴阮嘯　위나라의 혜강은 거문고를 잘 탔고, 완적은 휘파람을 잘 불었다.
恬筆倫紙　진나라의 봉념은 토끼털로써 붓을 만들었고, 후한의 채륜은 종이를 만들었다.
鈞巧任釣　위나라의 마균은 지남거를 만들었고, 전국 시대의 임공자는 낚시를 만들었다.

釋 釋 一 彩 釋 釋 釋 풀 을 석	紛 紛 幺 糸 糸 糸 紛 紛 어지러울분	利 利 二 千 禾 利 利 이 할 리	俗 俗 亻 亻 伶 伶 俗 俗 풍 속 속
竝 竝 一 立 立 立 竝 아 우 를 병	皆 皆 一 上 比 皆 皆 다 개	佳 佳 亻 亻 仹 佳 佳 아름다울 가	妙 妙 女 女 如 妙 妙 묘 할 묘
毛 毛 一 二 三 毛 털 모	施 施 亠 方 扩 斻 施 베 풀 시	淑 淑 氵 氵 汁 沫 淑 淑 맑 을 숙	姿 姿 丶 丿 次 姿 姿 모 양 자
工 工 一 丁 工 장 인 공	嚬 嚬 口 叮 咿 嚬 嚬 찡그릴빈	姸 姸 女 女 妁 姸 姸 고 을 연	笑 笑 ⺮ ⺮ 竺 竺 笑 웃 음 소

釋紛利俗　위의 여덟 사람은 재주를 다하여 어지러움을 풀고 풍속을 이롭게 하였다.
竝皆佳妙　그 모두가 아름다우면서도 묘한 재주였다.
毛施淑姿　오나라의 모타라는 여자와 월나라의 서시라는 여자는 둘 다 정숙하고 아름다웠다.
工嚬姸笑　웃는 모습 또한 곱고도 아름다웠다.

年	矢	每	催
ノ ヒ ヒ 乍 年	ノ ヒ ヒ 午 矢	ノ ヒ 毎 毎 每	イ 俨 俨 催 催
해 년	살 시	매양 매	재촉 최

羲	暉	朗	曜
羊 差 義 義 義	日 旷 胪 暉 暉	⺀ 𦊆 良 朗 朗	日 旷 旷 曜 曜
햇빛 희	빛날 휘	밝을 랑	빛날 요

璇	璣	懸	斡
王 玏 玏 珳 璇	王 玠 玔 璣 璣	県 県 縣 縣 懸	十 卓 斡 斡 斡
옥 선	구슬 기	달 현	돌 알

晦	魄	環	照
日 旷 昕 晦 晦	白 的 帕 魄 魄	王 𤩩 環 環 環	日 旷 昭 昭 照
그믐 회	넋 백	고리 환	비칠 조

年矢每催   세월이 화살과도 같이 빠름을 뜻한다.
羲暉朗曜   태양빛과 달빛이 온 세상을 비추어 만물에 혜택을 준다.
璇璣懸斡   선기는 천기를 보는 기구인데, 높이 달려서 도는 것이다.
晦魄環照   달이 고리와 같이 돌며, 천지를 비치는 것을 말한다.

指 **指** 扌 扌 扩 护 指 손 가락 지	薪 **薪** 艹 艹 莊 薪 薪 나 무 신	修 **修** 亻 亻 俏 修 修 닦 을 수	祐 **祐** 礻 衤 衤 祐 祐 도 울 우
永 **永** 丶 丁 才 永 永 길 영	綏 **綏** 幺 糸 紵 綏 綏 편 안 유	吉 **吉** 十 士 吉 吉 吉 길 할 길	邵 **邵** フ 召 召 邵 邵 높 을 소
矩 **矩** ㅅ ㅌ 矢 矩 矩 법 구	步 **步** 丨 止 止 歩 步 걸 음 보	引 **引** フ フ 弓 引 끌 인	領 **領** ㅅ 今 領 領 領 차 지 할 령
俯 **俯** 亻 疒 俯 俯 俯 구 부 릴 부	仰 **仰** ノ 亻 仵 仰 仰 우 러 를 앙	廊 **廊** 广 广 庐 廊 廊 행 랑 랑	廟 **廟** 广 广 庐 庫 廟 사 당 묘

指薪修祐　불타는 나무와 같이 정열로써 수양하면 복을 얻는다.
永綏吉邵　영구히 편안하고, 길함이 높게 된다.
矩步引領　걸음걸이가 바르고, 얼굴도 바르니 위의가 엄숙하다.
俯仰廊廟　항상 남묘에 있듯이 머리를 숙여 우러러라.

束 一 丆 巿 声 束 묶을속	帶 丱 卅 卅 带 帶 띠 대	矜 乛 子 矛 矜 矜 자랑긍	莊 一 艹 芷 莊 莊 엄숙할장
徘 彳 彳 彴 徘 徘 배회배	徊 彳 彳 彳 徊 徊 배회회	瞻 目 盰 睦 瞻 瞻 볼 첨	眺 目 盺 盺 眺 眺 볼 조
孤 了 孑 孒 孤 孤 외로울고	陋 阝 阝 阼 陋 陋 더러울루	寡 宀 宁 宣 寘 寡 적을 과	聞 卩 門 門 閏 聞 들을문
愚 日 冐 禺 禺 愚 어리석을우	蒙 艹 芦 亨 蒙 蒙 어릴몽	等 𥫗 竻 竿 等 等 무리등	誚 言 訁 誚 誚 誚 꾸짖을초

束帶矜莊　허리띠를 단정케 함으로써 씩씩함을 자랑한다.
徘徊瞻眺　같은 장소를 배회하며 두루 살펴 본다.
孤陋寡聞　배운 것은 고루하고, 들은 것은 적다.
愚蒙等誚　작고도 어리석어서 몽매함을 면치 못한다는 뜻이다.

言 謂 謂 謂 謂

이 를 위

言 訂 語 語 語

말 씀 어

月 月 且 助 助

도 울 조

土 耂 耂 者 者

놈 자

下 正 严 焉 焉

어 찌 언

哉

土 吉 哉 哉 哉

어 조 사 재

乎

一 厂 丏 乎

온 호

也

ㄱ ㄅ 也

어 조 사 야

萬曆十一年晉日副司果臣韓濩奉
教書　二十九年辛丑七月日內府開刊

謂語助者　어조는 한문의 조사, 즉 다음 글자를 이른다
焉哉乎也　언·재·호·야는 즉 어조사이다.

부수 명칭(部首名稱)

-1획-
一 한 일
丨 뚫을 곤
丶 점 주
丿 삐침
乙 새 을
亅 갈고리 궐

-2획-
二 두 이
亠 돼지해머리
人 사람 인
亻 어진사람 인
入 들입 변
八 여덟 팔
冂 멀 경
冖 민갓머리
冫 이수변
几 안석 궤
凵 위 튼 입구
刀 칼 도
力 힘 력
勹 쌀 포
匕 비수 비
匚 상자 방
匸 감출 혜
十 열 십
卜 점 복
卩 병부 절
厂 민엄호
厶 마늘모
又 또 우

-3획-
口 입구
囗 큰 입구
土 흙 토
士 선비 사
夂 뒤져 올 치
夊 천천히 걸을 쇠
夕 저녁 석
大 큰 대
女 계집 녀
子 아들 자
宀 갓머리
寸 마디 촌
小 작을 소
尢 절름발이 왕
尸 주검 시

屮 왼손 좌
山 뫼 산
巛 川 개미허리
工 장인 공
己 몸 기
巾 수건 건
干 방패 간
幺 작을 요
广 엄호
廴 민책받침
廾 밑스물입
弋 주살 익
弓 활 궁
彐 ⺕ 튼가로왈
彡 터럭 삼
彳 두인변

-4획-
心 忄 마음 심
戈 창 과
戶 지게 호
手 才 손 수
支 가를 지
攴 攵 등글월문
文 글월 문
斗 말 두
斤 도끼 근
方 모 방
无 없을 무
日 날 일
曰 가로 왈
月 달 월
木 나무 목
欠 하품 흠
止 그칠 지
歹 죽을 사변
殳 갖은등글월문
毋 말 무
比 견줄 비
毛 터럭 모
氏 각시 씨
气 기운 기
水 氵 물 수
火 灬 불 화
爪 손톱 조
父 아비 부
爿 장수 장변
片 조각 편

爻 효 효
牙 어금니 아
牛 소 우
犬 犭 개 견

-5획-
玉 구슬 옥
玄 검을 현
瓜 오이 과
瓦 기와 와
甘 달 감
生 날 생
用 쓸 용
田 밭 전
疋 짝 필
疒 병질
白 흰 백
皮 가죽 피
皿 그릇 명
目 눈 목
矛 창 모
矢 화살 시
石 돌 석
示 礻 보일 시
内 짐승 발자국 유
禾 벼 화
穴 구멍 혈
立 설 립

-6획-
竹 대 죽
米 쌀 미
糸 실 사
缶 장군 부
网 罒 그물 망
羊 양 양
羽 깃 우
老 늙을 로
而 말 이을 이
耒 쟁기 뢰
耳 귀 이
聿 붓 율
肉 月 고기 육
臣 신하 신
自 스스로 자
至 이를 지
臼 절구 구
舌 혀 설

舛 어그러질 천
舟 배 주
艮 괘이름 간
色 빛 색
艸 艹 풀 초
虍 범호 엄
虫 벌레 훼
血 피 혈
行 갈 행
衣 衤 옷 의
襾 덮을 아

-7획-
見 볼 견
角 뿔 각
言 말씀 언
谷 골 곡
豆 콩 두
豕 돼지 시
豸 갖은 돼지 시
貝 조개 패
赤 붉을 적
走 달릴 주
足 발 족
身 몸 신
車 수레 거
辛 매울 신
辰 별 진
辵 辶 책받침
邑 阝 고을 읍
酉 닭 유
釆 분별할 변
里 마을 리

-8획-
金 쇠 금
長 길 장
門 문 문
阜 阝 언덕 부
隶 미칠 이
隹 새 추
雨 비 우
靑 푸를 청
非 아닐 비

-9획-
面 낯 면
革 가죽 혁

韋 다룸가죽 위
韭 부추 구
音 소리 음
頁 머리 혈
風 바람 풍
飛 날 비
食 밥 식
首 머리 수
香 향기 향

-10획-
馬 말 마
骨 뼈 골
高 높을 고
髟 긴털 드리울 표
鬪 싸울 투
鬯 울창주 창
鬲 다리 굽은 솥 력
鬼 귀신 귀

-11획-
魚 물고기 어
鳥 새 조
鹵 소금밭 로
鹿 사슴 록
麥 보리 맥
麻 삼 마

-12획-
黃 누를 황
黍 기장 서
黑 검을 흑

-13획-
鼎 솥 정
鼓 북 고
鼠 쥐 서

-14획-
鼻 코 비
齊 가지런할 제

-15획-
齒 이 치

-16획-
龍 용 룡
龜 거북 귀

동자이음(同字異音)

降	강	降雨	강 우		否	부	否決	부 결
	항	降伏	항 복			비	否運	비 운
見	견	見聞	견 문		北	북	南北	남 북
	현	謁見	알 현			배	敗北	패 배
句	구	文句	문 구		分	분	部分	부 분
	귀	句節	귀 절			푼	五分	오 푼
龜	구	龜浦	구 포		復	복	復舊	복 구
	귀	龜鑑	귀 감			부	復活	부 활
	균	龜裂	균 열		不	불	不可	불 가
金	금	賞金	상 금			부	ㄷ,ㅈ 위	
	김	金堤	김 제		殺	살	殺菌	살 균
內	내	案內	안 내			쇄	相殺	상 쇄
	나	內人	나 인		參	삼	參拾	삼 십
茶	다	茶菓	다 과			참	參與	참 여
	차	茶禮	차 례		狀	상	狀況	상 황
丹	단	丹青	단 청			장	賞狀	상 장
	란	牡丹	모 란		索	색	搜索	수 색
糖	당	糖分	당 분			삭	索漠	삭 막
	탕	雪糖	설 탕		塞	색	壅塞	옹 색
宅	댁	宅內	댁 내			새	要塞	요 새
	택	宅地	택 지		誓	서	誓約	서 약
度	도	度量	도 량			세	盟誓	맹 세
	탁	度支	탁 지		說	설	說得	설 득
讀	독	讀書	독 서			세	遊說	유 세
	두	句讀	구 두			열	說乎	열 호
洞	동	洞里	동 리		省	성	省墓	성 묘
	통	洞察	통 찰			생	省略	생 략
木	목	草木	초 목		率	솔	統率	통 솔
	모	木瓜	모 과			률	能率	능 률

	음	예	음
數	수	數學	수 학
	삭	頻數	빈 삭
	촉	數罟	촉 고
宿	숙	宿泊	숙 박
	수	星宿	성 수
拾	습	拾得	습 득
	십	拾萬	십 만
食	식	飮食	음 식
	사	蔬食	소 사
識	식	識見	식 견
	지	標識	표 지
十	십	十分	십 분
	시	十月	시 월
惡	악	善惡	선 악
	오	憎惡	증 오
樂	악	音樂	음 악
	락	娛樂	오 락
	요	樂山	요 산
葉	엽	落葉	낙 엽
	섭	葉氏	섭 씨
六	육	六年	육 년
	유	六月	유 월
易	이	容易	용 이
	역	貿易	무 역
咽	인	咽喉	인 후
	열	嗚咽	오 열
刺	자	刺戟	자 극
	척	刺殺	척 살
著	저	著者	저 자
	착	附著	부 착

	음	예	음
切	절	懇切	간 절
	체	一切	일 체
什	십	什長	십 장
	집	什器	집 기
車	차	客車	객 차
	거	停車	정 거
拓	척	開拓	개 척
	탁	拓本	탁 본
推	추	推理	추 리
	퇴	推積	퇴 적
則	칙	規則	규 칙
	즉	然則	연 즉
沈	침	沈滯	침 체
	심	沈氏	심 씨
便	편	便利	편 리
	변	便所	변 소
暴	폭	暴風	폭 풍
	포	橫暴	횡 포
皮	피	皮膚	피 부
	비	鹿皮	녹 비
行	행	行動	행 동
	항	行列	항 렬
狹	협	狹路	협 로
	합	狹川	합 천
畫	화	映畫	영 화
	획	畫一	획 일
滑	활	圓滑	원 활
	골	滑稽	골 계

성씨 연습(姓氏練習)

해서　　행서　초서

제1조 (姜 계열)

해서	음훈	행서	초서
姜	성 강	姜	姜
郭	외성 곽	郭	郭
琴	거문고 금	琴	琴
羅	벌일 라	羅	羅
魯	둔할 노	魯	魯
馬	말 마	馬	弓
文	글월 문	文	文
潘	쌀뜨물 반	潘	潘
白	흰 백	白	白
史	역사 사	史	史
宣	베풀 선	宣	宣
蘇	깨어날 소	蘇	蘇
申	납 신	申	申
鮮于	고울 조사울 선우	鮮于	鮮于

제2조 (康 계열)

해서	음훈	행서	초서
康	편안할 강	康	康
具	갖출 구	具	貝
吉	길할 길	吉	吉
南	남녘 남	南	南
盧	성 노	盧	盧
孟	맏 맹	孟	孟
閔	민망할 민	閔	閔
方	모 방	方	方
卞	조급할 변	卞	卞
徐	천천할 서	徐	徐
成	이룰 성	成	朱
孫	손자 손	孫	孫
辛	매울 신	辛	辛
安	편안할 안	安	安

제3조 (高 계열)

음훈	해서	행서	초서
높을 고	高	高	高
권세 권	權	權	權
쇠 금	金	金	金
집 남녁 남궁	南宮	南宮	南宮
외로울 홀로 독고	獨孤	獨孤	獨孤
털 모	毛	毛	毛
순박할 박	朴	朴	朴
성 배 가 변	裵	裵	裵
돌 석	邊	邊	邊
소	石	石	石
송나라 송 성 심	薛	薛	薛
들보 량	宋	宋	宋
	沈	沈	沈
	梁	梁	梁

楊	버들 양	楊	楊	魚	물고기 어	魚	魚	呂	음률 려	呂	呂
廉	청렴할 렴	廉	廉	芮	나라이름 예	芮	芮	吳	나라이름 오	吳	吳
王	임금 왕	王	王	禹	하우씨 우	禹	禹	元	으뜸 원	元	元
柳	버들 류	柳	柳	兪	성 유	兪	兪	劉	성 류	劉	劉
陸	뭍 륙	陸	陸	尹	다스릴 윤	尹	尹	李	오얏 리	李	李
任	맡길 임	任	任	張	베풀 장	張	張	全	온전할 전	全	全
田	밭 전	田	田	錢	돈 전	錢	錢	鄭	나라이름 정	鄭	鄭
丁	네째천간 정	丁	丁	趙	나라이름 조	趙	趙	曹	무리 조	曹	曹
朱	붉을 주	朱	朱	池	못 지	池	池	陳	베풀 진	陳	陳
愼	진	愼	愼	車	수레 (거)차	車	車	蔡	나라이름 채	蔡	蔡
崔	재촉할 최	崔	崔	千	일천 천	千	千	皮	가죽 피	皮	皮
河	물 하	河	河	韓	나라이름 한	韓	韓	玄	검을 현	玄	玄
洪	넓을 홍	洪	洪	黃	누를 황	黃	黃	許	허락할 허	許	許
皇甫	임금 황 클 보	皇甫	皇甫								

행서체의 실용숙어(實用熟語)

五里霧中 (오리무중)	曖昧模糊 (애매모호)	塞翁之馬 (새옹지마)	不撤晝夜 (불철주야)	白骨難忘 (백골난망)	馬耳東風 (마이동풍)	綠楊芳草 (녹양방초)	難兄難弟 (난형난제)	錦衣還鄉 (금의환향)	群鷄一鶴 (군계일학)	骨肉相爭 (골육상쟁)	刻骨難忘 (각골난망)
臥薪嘗膽 (와신상담)	漁父之利 (어부지리)	先見之明 (선견지명)	四面楚歌 (사면초가)	百年偕老 (백년해로)	滿身瘡痍 (만신창이)	大器晩成 (대기만성)	南柯一夢 (남가일몽)	金枝玉葉 (금지옥엽)	權謀術數 (권모술수)	誇大妄想 (과대망상)	見物生心 (견물생심)
樂山樂水 (요산요수)	語不成說 (어불성설)	雪上加霜 (설상가상)	事必歸正 (사필귀정)	百折不屈 (백절불굴)	明若觀火 (명약관화)	杜門不出 (두문불출)	內憂外患 (내우외환)	氣盡脈盡 (기진맥진)	勸善懲惡 (권선징악)	九牛一毛 (구우일모)	孤掌難鳴 (고장난명)
窈窕淑女 (요조숙녀)	言語道斷 (언어도단)	阿鼻叫喚 (아비규환)	森羅萬象 (삼라만상)	伯仲之勢 (백중지세)	拍掌大笑 (박장대소)	燈火可親 (등화가친)	怒發大發 (노발대발)	落花流水 (낙화유수)	錦上添花 (금상첨화)	九折羊腸 (구절양장)	苦盡甘來 (고진감래)

오비이락(烏飛梨落) · 이심전심(以心傳心) · 자초지종(自初至終) · 적반하장(賊反荷杖) · 조령모개(朝令暮改) · 중과부적(衆寡不敵) · 차일피일(此日彼日) · 철두철미(徹頭徹尾) · 태평연월(太平烟月) · 풍월주인(風月主人) · 함구무언(緘口無言) · 호사다마(好事多魔)

용두사미(龍頭蛇尾) · 임기응변(臨機應變) · 자포자기(自暴自棄) · 전화위복(轉禍爲福) · 주객일체(主客一體) · 중구난방(衆口難防) · 창해일속(滄海一粟) · 칠전팔기(七顚八起) · 파죽지세(破竹之勢) · 풍전등화(風前燈火) · 허심탄회(虛心坦懷) · 호사유피(虎死留皮)

용의주도(用意周到) · 자수성가(自手成家) · 자화자찬(自畫自讚) · 절대가인(絶對佳人) · 주지육림(酒池肉林) · 좌충우돌(左衝右突) · 천방지축(天方地軸) · 타산지석(他山之石) · 팔방미인(八方美人) · 필부필부(匹夫匹婦) · 형설지공(螢雪之功) · 홍익인간(弘益人間)

우후죽순(雨後竹筍) · 자승자박(自繩自縛) · 작심삼일(作心三日) · 조강지처(糟糠之妻) · 죽마고우(竹馬故友) · 진퇴양난(進退兩難) · 천재일우(千載一遇) · 태연자약(泰然自若) · 표리부동(表裏不同) · 학수고대(鶴首苦待) · 호구지책(糊口之策) · 화조월석(花朝月夕)

1800漢字 音別索引
(常用漢字 追加)

▌[ㄱ]▐

[가] 加 可 佳 架 家 街 假 暇 歌 價 [각] 各 角
더할가 옳을가 아름다울가 가설할가 집가 거리가 거짓가 겨를가 노래가 값가 각각각 뿔각

却 刼 脚 閣 覺 [간] 干 刊 肝 看 間 姦 幹 簡
물리칠각 새길각 다리각 누각각 깨달을각 방패간 책펴낼간 간간 볼간 사이간 간사할간 줄기간 간략할간

懇 諫 奸 [갈] 渴 竭 [감] 甘 敢 減 感 監 鑑 [갑]
간절할간 간할간 간음할간 목마를갈 다할갈 달감 구태여감 덜감 느낄감 감독할감 살필감

甲 [강] 江 強 降 剛 康 綱 鋼 講 [개] 介 改 皆
갑옷갑 물강 강할강 내릴강 굳셀강 편안할강 벼리강 강철강 강론할강 낄개 고칠개 모두개

個 開 蓋 慨 概 [객] 客 [갱] 更 [거] 巨 去 車 拒
낱개 열개 덮을개 분할개 대개개 손객 다시갱 고칠경 클거 갈거 수레거 막을거

居 距 據 擧 [건] 件 建 健 乾 [걸] 傑 [검] 劍 儉
살거 멀어질거 의거할거 들거 사건건 세울건 굳셀건 하늘건 호걸걸 칼검 검소할검

檢 [게] 憩 [격] 格 激 擊 [견] 犬 見 肩 堅 絹 遣
검사할검 쉴게 법식격 격동할격 칠격 개견 볼견(현) 어깨견 굳을견 비단견 보낼견

[결] 決 缺 結 訣 潔 [겸] 兼 謙 [경] 京 庚 耕 竟
정할결 이지러질결 맺을결 이별할결 깨끗할결 겸할겸 겸손할겸 서울경 천간경 발갈경 마침내경

景 頃 徑 敬 硬 傾 經 卿 境 鏡 輕 慶 警 驚
볕경 때경 지름길경 공경경 굳을경 기울경 경서경 벼슬경 지경경 거울경 가벼울경 경사경 경계할경 놀랄경

競 [계] 系 戒 季 界 癸 契 係 計 桂 階 啓 械
다툴경 이을계 경계할계 철계 지경계 천간계 맺을계(글) 맬계 셈할계 계수나무계 섬돌계 열계 기계계

溪 繼 鷄 [고] 古 告 考 固 苦 故 姑 枯 高 孤
시내계 이을계 닭계 옛고 고할고 상고할고 굳을고 괴로울고 연고고 시어미고 마를고 높을고 외로울고

庫 雇 稿 鼓 顧 [곡] 曲 谷 哭 穀 [곤] 困 坤 [골]
창고고 더부살이고 볏짚고 북고 돌아볼고 굽을곡 골곡 울곡 곡식곡 곤할곤 땅곤

骨 [공] 工 孔 公 功 共 攻 供 空 貢 恭 恐 [과]
뼈골 장인공 구멍공 공변될공 공공 함께공 칠공 이바지할공 하늘공 바칠공 공손할공 두려울공

戈 瓜 果 科 過 誇 課 寡 [곽] 郭 [관] 官 冠 貫
창과 외과 과실과 과목과 지날과 자랑할과 매길과 적을과 성곽곽 벼슬관 갓관 관향관

寬 管 慣 關 觀 [광] 光 廣 鑛 [괴] 掛 [괴] 怪 愧
너그러울관 주관할관 익숙할관 관계할관 볼관 빛광 넓을광 쇳덩이광 걸괘 괴이할괴 부끄러울괴

塊 壞 [교] 交 巧 郊 校 教 較 橋 矯 [구] 九 口
흙덩어리괴 무너질괴 사귈교 공교할교 들교 학교교 가르칠교 비교할교 다리교 바로잡을교 아홉구 입구

久 丘 句 求 究 拘 狗 苟 具 俱 區 救 球 構
오랠구 언덕구 글귀구(귀) 구할구 궁구할구 잡을구 개구 구차할구 갖출구 함께구 구역구 구원할구 구슬구 얽을구

舊 龜 懼 驅 鷗 [국] 局 菊 國 [군] 君 軍 郡 群
옛구 거북구(귀) 두려워할구 몰구 갈매기구 판국 국화국 나라국 임금군 군사군 고을군 무리군

[굴] 屈 [궁] 弓 宮 窮 [권] 券 卷 拳 勸 權 [궐]
굽을굴 활궁 궁궐궁 궁할궁 문서권 굽을권 주먹권 권할권 권세권

厥 [귀] 鬼 貴 歸 [규] 叫 規 閨 [균] 均 菌 [극] 克
그궐 귀신귀 귀할귀 돌아올귀 부르짖을규 법규 안방규 고를균 버섯균 이길극

—72—

極 劇 [근] 斤 近 根 僅 勤 謹 [금] 今 金 禁 琴
지극할극 연극극　근근 가까울근 뿌리근 겨우근 부지런할근 삼갈근　이제금 쇠금(김) 금할금 거문고금

禽 錦 [급] 及 急 級 給 [긍] 肯 [기] 己 企 忌 技
날짐승금 비단금　미칠급 급할급 등급급 줄급　줄길긍　천간기 꾀할기 꺼릴기 재주기

氣 寄 基 飢 期 欺 旗 奇 祈 其 紀 豈 記 起
기운기 붙을기 터기 주릴기 기약기 속일기 기기 기이할기 빌기 그기 기강기 어찌기 기록할기 일어날기

旣 幾 棄 器 畿 機 騎 [긴] 緊 [길] 吉
이미기 몇기 버릴기 그릇기 경기기 틀기 말탈기　요긴할긴　길할길

【ㄴ】

[나] 那 [낙] 諾 [난] 暖 難 [남] 男 南 [납] 納 [낭] 娘
　어찌나　허락낙　따뜻할난 어려울난　사내남 남녘남　들일납　각시낭

[내] 乃 內 奈 耐 [녀] 女 [년] 年 [념] 念 [녕] 寧 [노]
　이에내 안내 어찌내(나) 견딜내　계집녀　해년　생각념　편안할녕

奴 努 怒 [농] 農 濃 [뇌] 惱 腦 [능] 能 [니] 泥
종노 힘쓸노 성낼노　농사농 걸찍할농　번뇌할뇌 머릿골뇌　능할능　진흙니

【ㄷ】

[다] 多 茶 [단] 丹 旦 但 段 短 單 端 團 壇 檀
　많을다 차다(차)　붉을단 아침단 다만단 충계단 짧을단 홑단 끝단 둥글단 단단 박달나무단

斷 [달] 達 [담] 淡 談 潭 擔 [답] 畓 答 踏 [당] 唐
끊을단　통달할달　묽을담 말씀담 못담 질담　논답 대답할답 밟을답　당나라당

堂 當 糖 黨 [대] 大 代 待 帶 貸 隊 對 臺 [덕]
집당 마땅할당 엿당(탕) 무리당　큰대 대신할대 기다릴대 띠대 빌릴대 떼대 대할대 대대

德 [도] 刀 到 度 挑 途 陶 徒 逃 桃 倒 島 都
큰덕　칼도 이를도 법도(탁) 돈을도 길도 질그릇도 무리도 달아날도 복숭아도 넘어질도 섬도 도읍도

渡 盜 道 跳 圖 稻 導 [독] 毒 督 獨 篤 讀 [돈]
건널도 도둑도 길도 뛸도 그림도 벼도 이끌도　독할독 감독할독 홀로독 두터울독 읽을독(두)

豚 敦 [돌] 突 [동] 冬 同 東 洞 桐 凍 動 童 銅
돼지돈 두터울돈　부딪칠돌　겨울동 한가지동 동녘동 고을동(통) 오동나무동 얼동 움직일동 아이동 구리동

[두] 斗 杜 豆 頭 [둔] 鈍 [득] 得 [등] 登 等 燈
　말두 아가위두 콩두 머리두　무딜둔　얻을득　오를등 무리등 등잔등

【ㄹ】

[라] 羅 [락] 洛 落 樂 [란] 卵 亂 蘭 欄 爛 [람] 濫
　그물라　물이름락 떨어질락 즐길락(악 요)　알란 어지러울란 난초란 난간란 빛날란　넘칠람

藍 覽 [랑] 郞 浪 朗 廊 [래] 來 [랭] 冷 [략] 掠 略
푸를람 볼람　사내랑 물결랑 밝을랑 곁채랑　올래　찰랭　노략질할략 간략할략

[량] 良 兩 涼 梁 量 諒 糧 [려] 旅 慮 勵 麗 [력]
　어질량 둘량 서늘할량 들보량 헤아릴량 양해할량 양식량　나그네려 생각할려 힘쓸려 고울려

力 曆 歷 [련] 連 蓮 練 聯 鍊 憐 戀 [렬] 列 劣
힘력 책력력 지낼력　이을련 연꽃련 익힐련 연합할련 단련할련 불쌍히여길련 사모할련　벌일렬 용렬할렬

烈 裂 [렴] 廉 [령] 令 零 領 嶺 靈 [례] 例 禮 [로]
매울렬 찢을렬 청렴할렴 명령할령 영령 거느릴령 재령 신령령 법식례 예도례

老 勞 路 爐 露 [록] 鹿 祿 綠 錄 [론] 論 [롱] 弄
늙을로 수고할로 길로 화로로 이슬로 사슴록 녹록 초록빛록 기록할록 의논할론 희롱할롱

[뢰] 雷 賴 [료] 了 料 [룡] 龍 [루] 累 淚 屢 漏 樓
우뢰뢰 의지할뢰 마칠료 헤아릴료 용룡 포갤루 눈물루 여러루 샐루 다락루

[류] 流 柳 留 類 [륙] 六 陸 [륜] 倫 輪 [률] 律 栗
흐를류 버들류 머무를류 무리류 여섯륙 뭍륙 인륜륜 바퀴륜 법률 밤률

率 [륭] 隆 [릉] 陵 [리] 吏 李 利 里 理 梨 裏 履
비율률 성할륭 언덕무덤룽 관리리 오얏리 이로울리 마을리 이치리 배리 속리 밟을리

離 [린] 隣 [림] 林 臨 [립] 立 笠
떠날리 이웃린 수풀림 임할림 설립 삿갓립

[ㅁ]

[마] 馬 麻 磨 [막] 莫 漠 幕 [만] 晩 萬 漫 慢 滿
말마 삼마 갈마 없을막 사막막 장막막 늦을만 일만만 부질없을만 거만할만 찰만

灣 蠻 [말] 末 [망] 亡 妄 忙 忘 罔 茫 望 [매] 梅
물굽이만 오랑캐만 끝말 망할망 망령될망 바쁠망 잊을망 없을망 망망할망 바랄망 매화나무매

媒 賣 每 妹 埋 買 [맥] 麥 脈 [맹] 盲 孟 猛 盟
중매매 팔매 매양매 아랫누이매 묻을매 살매 보리맥 맥맥 소경맹 맏맹 사나울맹 맹세할맹

[면] 免 面 勉 眠 綿 [멸] 滅 [명] 名 命 明 冥 鳴
면할면 낯면 힘쓸면 잠잘면 솜면 멸할멸 이름명 목숨명 밝을명 어두울명 울명

銘 [모] 毛 母 矛 某 募 模 暮 慕 貌 謀 [목] 木
새길명 털모 어미모 창모 아무모 뽑을모 법모 저물모 사모할모 모양모 꾀할모 나무목

目 沐 牧 睦 [몰] 沒 [몽] 夢 蒙 [묘] 卯 妙 苗 墓
눈목 머리감을목 기를목 화목할목 빠질몰 꿈몽 어릴몽 토끼묘 묘할묘 싹묘 무덤묘

廟 [무] 戊 茂 武 務 無 貿 舞 霧 [묵] 墨 默 [문]
사당묘 천간무 무성할무 호반무 힘쓸무 없을무 무역할무 춤출무 안개무 먹묵 잠잠할묵

文 汶 門 問 聞 [물] 勿 物 [미] 未 米 尾 味 美
글월문 물이름문 문문 물을문 들을문 말물 만물물 아닐미 쌀미 꼬리미 맛미 아름다울미

眉 迷 微 [민] 民 敏 憫 [밀] 密 蜜
눈썹미 미혹할미 작을미 백성민 민첩할민 불쌍히여길민 빽빽할밀 꿀밀

[ㅂ]

[박] 朴 泊 拍 迫 博 薄 [반] 反 半 返 叛 班 般
순박할박 고요할박 칠박 핍박할박 너를박 엷을박 돌이킬반 반반 돌아올반 배반할반 반렬반 일반반

盤 飯 [발] 拔 發 髮 [방] 方 妨 芳 防 邦 放 房
쟁반반 밥반 뺄발 필발 머리털발 모방 방해할방 꽃다울방 방비할방 나라방 놓을방 방방

倣 訪 傍 [배] 杯 背 拜 俳 配 倍 培 排 輩 [백]
본받을방 찾을방 곁방 잔배 등배 절배 광대배 짝배 곱배 북돋울배 물리칠배 무리배

白 百 伯 柏 [번] 番 煩 繁 飜 [벌] 伐 罰 [범] 凡
흰백 일백백 맏백 잣나무백 차례번 번거로울번 성할번 번역할번 칠벌 벌줄벌 범상할범

犯 氾 範 [법] 法 [벽] 壁 碧 [변] 辨 邊 辯 變 [별]
범할범 넓을범 법범 법법 벽벽 푸를벽 분별할변 변두리변 말잘할변 변할변

— 74 —

別[병] 丙 兵 竝 病 屛 [보] 步 保 報 普 補 譜
다를별 · 남녘병 · 군사병 · 아우를병 · 병들병 · 병풍병 · 걸음보 · 보전할보 · 고할보 · 넓을보 · 도울보 · 계보보

寶 [복] 卜 伏 服 復 腹 福 複 [본] 本 [봉] 奉 封
보배보 · 점칠복 · 엎드릴복 · 옷복 · 회복할복(부) · 배복 · 복복 · 겹칠복 · 근본본 · 받들봉 · 봉할봉

峯 逢 蜂 鳳 [부] 父 夫 付 否 扶 附 府 負 赴
봉우리봉 · 만날봉 · 벌봉 · 새봉 · 아비부 · 사내부 · 부칠부 · 아니부(비) · 도울부 · 붙을부 · 마을부 · 질부 · 다다를부

浮 符 部 富 婦 膚 副 腐 賦 簿 [북] 北 [분] 分
뜰부 · 부호부 · 나눌부 · 부자부 · 아내부 · 살갗부 · 버금부 · 썩을부 · 지을부 · 장부부 · 북녘북(배) · 나눌분

奔 粉 紛 憤 墳 奮 [불] 不 弗 佛 拂 [붕] 朋 崩
달아날분 · 가루분 · 어지러울분 · 분할분 · 무덤분 · 떨칠분 · 아닐불 · 아닐불 · 부처불 · 털불 · 벗붕 · 무너질붕

[비] 比 妃 批 肥 非 卑 祕 飛 悲 備 費 婢 碑
견줄비 · 왕비비 · 비평할비 · 살찔비 · 아닐비 · 낮을비 · 숨길비 · 날비 · 슬플비 · 갖출비 · 비용비 · 계집종비 · 비석비

鼻 [빈] 貧 賓 頻 [빙] 氷 聘
코비 · 가난할빈 · 손빈 · 자주빈 · 얼음빙 · 청할빙

【 人 】

[사] 士 巳 四 司 史 仕 寺 死 似 沙 私 舍 社
선비사 · 뱀사 · 넉사 · 맡을사 · 사기사 · 벼슬사 · 절사 · 죽을사 · 같을사 · 모래사 · 사사사 · 집사 · 모일사

使 邪 事 祀 思 査 師 射 蛇 捨 斜 詐 斯 絲
부릴사 · 간사할사 · 일사 · 제사사 · 생각할사 · 조사할사 · 스승사 · 쏠사(야) · 뱀사 · 버릴사 · 비낄사 · 속일사 · 이사 · 실사

詞 寫 賜 謝 辭 [삭] 削 朔 [산] 山 産 散 算 酸
말씀사 · 베낄사 · 줄사 · 사례할사 · 말씀사 · 깎을삭 · 초하루삭 · 뫼산 · 낳을산 · 흩을산 · 셈할산 · 초산

[살] 殺 [삼] 三 森 [상] 上 床 尚 狀 相 桑 祥 常
죽일살(쇄) · 석삼 · 나무빽빽할삼 · 웃상 · 평상상 · 오히려상 · 형상상 · 서로상 · 뽕나무상 · 상서로울상 · 항상상

商 喪 象 想 詳 傷 像 裳 賞 嘗 償 霜 [쌍] 雙
장사상 · 잃을상 · 형상상 · 생각할상 · 자세할상 · 상할상 · 형상상 · 치마상 · 상줄상 · 맛볼상 · 갚을상 · 서리상 · 둘쌍

[새] 塞 [색] 色 索 [생] 生 [서] 西 序 書 徐 恕 庶
변방새(색) · 빛색 · 찾을색(삭) · 날생 · 서녘서 · 차례서 · 글서 · 천천할서 · 용서할서 · 여럿서

敍 舒 婿 暑 署 緖 [석] 夕 石 析 昔 席 惜 釋
펼서 · 펼서 · 사위서 · 더위서 · 관청서 · 실마리서 · 저녁석 · 돌석 · 나눌석 · 옛석 · 자리석 · 아낄석 · 해석할석

[선] 先 仙 宣 旋 船 善 鮮 選 線 禪 [설] 舌 雪
먼저선 · 신선선 · 베풀선 · 돌선 · 배선 · 착할선 · 생선선 · 가릴선 · 실선 · 사양할선 · 베풀설 · 혀설

設 說 [섭] 涉 [성] 成 性 姓 星 省 城 盛 聖 誠
베풀설 · 말씀설(세) · 물건널섭 · 이룰성 · 성품성 · 성성 · 별성 · 살필성(생) · 재성 · 성할성 · 성스러울성 · 정성성

聲 [세] 世 洗 細 稅 歲 勢 [소] 小 少 召 所 昭
소리성 · 인간세 · 씻을세 · 가늘세 · 세금세 · 나이세 · 세력세 · 작을소 · 적을소 · 부를소 · 바소 · 밝을소

笑 消 素 掃 訴 紹 疎 蔬 燒 蘇 騷 [속] 束 俗
웃을소 · 끌소 · 흴소 · 쓸소 · 소송할소 · 이을소 · 성길소 · 나물소 · 불사를소 · 깨어날소 · 떠들소 · 묶을속 · 풍속속

速 粟 續 屬 [손] 孫 損 遜 [송] 松 送 訟 誦 頌
빠를속 · 식량속 · 이을속 · 붙을속(촉) · 손자손 · 덜손 · 순할손 · 소나무송 · 보낼송 · 소송할송 · 읽을송 · 칭송할송

[쇄] 刷 鎖 [쇠] 衰 [수] 水 手 囚 守 收 秀 受 首
박을쇄 · 쇠사슬쇄 · 쇠할쇠(최) · 물수 · 손수 · 가둘수 · 지킬수 · 거둘수 · 빼어날수 · 받을수 · 머리수

帥 殊 修 授 須 愁 遂 睡 壽 誰 需 數 隨 樹
거느릴수 · 다를수 · 닦을수 · 줄수 · 모름지기수 · 근심수 · 드디어수 · 잠잘수 · 목숨수 · 누구수 · 쓸수 · 셀수(삭) · 따를수 · 나무수

輪 雖 獸 **[숙]** 叔 孰 宿 淑 肅 熟 **[순]** 旬 巡 盾
보낼수 비록수 길짐승수 아재비숙 누구숙 잘숙 맑을숙 엄숙할숙 익을숙 열흘순 순행할순 방패순

殉 純 順 循 脣 舜 瞬 **[술]** 戌 述 術 **[숭]** 崇
따라죽을순 순수할순 순할순 좇을순 입술순 순임금순 눈깜적일순 개술 베풀술 재주술 높을숭

拾 習 濕 襲 **[승]** 升 丞 昇 承 乘 勝 僧 **[시]** 市
주울습(십) 이힐습 젖을습 엄습할습 되승 이을승 오를승 이을승 탈승 이길승 중승 저자시

示 矢 侍 始 是 施 時 視 試 詩 **[씨]** 氏 **[식]** 式
보일시 화살시 모실시 비로소시 이시 베풀시 때시 볼시 시험할시 시시 성씨 법식

植 食 息 飾 識 **[신]** 申 辛 臣 伸 身 信 神 新
심을식 먹을식(사) 숨쉴식 꾸밀식 알식(지) 납신 매울신 신하신 펼신 몸신 믿을신 귀신신 새신

晨 愼 **[실]** 失 室 實 **[심]** 心 甚 深 尋 審 **[십]** 十
새벽신 삼갈신 잃을실 집실 열매실 마음심 심할심 깊을심 찾을심 살필심 열십

● **[○]** ●

[아] 牙 我 兒 阿 芽 亞 雅 餓 **[악]** 岳 惡 **[안]** 安
어금니아 나아 아이아 언덕아 싹아 버금아 맑을아 주릴아 큰산악 악할악/미워할오 편안할안

岸 案 眼 雁 顔 **[알]** 謁 **[암]** 暗 巖 **[압]** 押 壓 **[앙]**
언덕안 책상안 눈안 기러기안 얼굴안 아뢸알 어두울암 바위암 수결둘압 누를압

央 仰 殃 **[애]** 哀 涯 愛 **[액]** 厄 液 額 **[야]** 也 夜
가운데앙 우러러볼앙 재앙앙 슬플애 물가애 사랑애 재앙액 진액액 이마액 잇기야 밤야

耶 野 **[약]** 若 約 弱 藥 **[양]** 羊 洋 陽 揚 楊 養
어조사야 들야 같을약 약속할약 약할약 약약 양양 큰바다양 햇볕양 날릴양 버들양 기를양

壤 讓 **[어]** 於 魚 御 語 漁 **[억]** 抑 億 憶 **[언]** 言
흙양 사양할양 어조사어(오) 물고기어 모실어 말씀어 고기잡을어 누를억 억억 생각할억 말씀언

焉 **[엄]** 嚴 **[업]** 業 **[여]** 予 余 汝 如 與 餘 輿 **[역]**
어찌언 엄할엄 일업 나여 나여 너여 같을여 줄여 남을여 수레여

亦 役 易 疫 逆 域 譯 驛 **[연]** 延 沿 硏 宴 軟
또역 부릴역 바꿀역(이) 전염병역 거스를역 지경역 통역할역 역마역 벋을연 물따라갈연 갈연 잔치연 연할연

硯 然 煙 鉛 演 緣 燕 燃 **[열]** 悅 熱 **[염]** 炎 染
벼루연 그럴연 연기연 납연 익힐연 인연연 제비연 불탈연 기쁠열 더울열 불꽃염 물들일염

鹽 **[엽]** 葉 **[영]** 永 泳 英 迎 映 詠 榮 影 營 **[예]**
소금염 잎사귀엽 길영 헤엄칠영 꽃부리영 맞을영 비칠영 읊을영 영화영 그림자영 경영할영

銳 豫 藝 譽 **[오]** 五 午 吾 汚 悟 烏 梧 娛 嗚
날카로울예 미리예 재주예 명예예 다섯오 낮오 나오 더러울오 깨달을오 까마귀오 오동나무오 즐거울오 탄식할오

傲 誤 **[옥]** 玉 屋 獄 **[온]** 溫 **[옹]** 翁 **[와]** 瓦 臥 **[완]**
거만할오 그릇오 구슬옥 집옥 감옥옥 따뜻할온 늙은이옹 기와와 누울와

完 緩 **[왈]** 曰 **[왕]** 王 往 **[외]** 外 畏 **[요]** 要 腰 搖
완전할완 느릴완 말할왈 임금왕 갈왕 바깥외 두려워할외 중요할요 허리요 흔들요

遙 謠 **[욕]** 辱 浴 欲 慾 **[용]** 用 勇 容 庸 **[우]** 又
멀요 노래요 욕될욕 목욕할욕 욕심욕 욕심욕 쓸용 날랜용 얼굴용 떳떳할용 또우

于 尤 友 牛 右 羽 宇 雨 偶 郵 遇 愚 憂 優
어조사우 더욱우 벗우 소우 오른쪽우 깃우 집우 비우 짝우 우편우 만날우 어리석을우 근심우 넉넉할우

[운] 云 雲 運 韻 **[웅]** 雄 **[원]** 元 原 員 遠 院 願
이를운 구름운 옮길운 울릴운 수컷웅 으뜸원 근원원 인원원 멀원 집원 원할원

圓 둥글원 / 園 동산원 / 怨 원망할원 / 援 도울원 / 源 근원원 / [월] 月 달월 / 越 넘을월 / [위] 危 위태할위 / 位 벼슬위 / 委 맡길위 / 威 위엄위 / 胃 밥통위

爲 하위 / 圍 둘레위 / 僞 거짓위 / 偉 훌륭할위 / 違 어길위 / 衛 호위할위 / 慰 위로할위 / 緯 씨위 / 謂 이를위 / [유] 由 말미암을유 / 幼 어릴유 / 有 있을유 / 酉 닭유

悠 멀유 / 油 기름유 / 乳 젖유 / 柔 부드러울유 / 猶 오히려유 / 幽 그윽할유 / 唯 오직유 / 惟 생각할유 / 裕 넉넉할유 / 愈 우수할유 / 遊 놀유 / 維 이을유 / 儒 선비유 / 誘 꾈일유

遺 끼칠유 / [육] 肉 고기육 / 育 기를육 / [윤] 尹 다스릴윤 / 閏 윤달윤 / 潤 붙을윤 / [은] 恩 은혜은 / 銀 은은 / 隱 숨을은 / [을] 乙 새올

[음] 吟 읊을음 / 音 소리음 / 淫 음란할음 / 陰 그늘음 / 飮 마실음 / [읍] 泣 소리없이울읍 / 邑 고을읍 / [응] 應 응할응 / [의] 衣 옷의 / 矣 어조사의

宜 마땅의 / 依 의지할의 / 意 뜻의 / 義 옳을의 / 儀 거동의 / 疑 의심할의 / 醫 의원의 / 議 의논할의 / [이] 二 두이 / 已 이미이 / 以 써이 / 而 말이을이 / 耳 귀이

夷 오랑캐이 / 移 옮길이 / 異 다를이 / 貳 두이 / [익] 益 더할익 / 翼 날개익 / [인] 人 사람인 / 刃 칼날인 / 仁 어질인 / 引 끌인 / 因 인할인 / 印 도장인

忍 참을인 / 姻 혼인할인 / 寅 범인 / 認 인정할인 / [일] 一 한일 / 日 날일 / 壹 한일 / 逸 잃을일 / [임] 壬 천간임 / 任 맡길임 / 賃 맡길임 / [입]

入 들입

【 ㅈ 】

[자] 子 아들자 / 自 스스로자 / 字 글자자 / 姊 맏누이자 / 玆 이자 / 者 놈자 / 刺 찌를자(척) / 姿 맵시자 / 恣 방자할자 / 紫 자주빛자 / 雌 암컷자 / 資 재물자 / 慈 사랑자

[작] 作 지을작 / 昨 어제작 / 酌 잔질할작 / 爵 벼슬작 / [잔] 殘 남을잔 / [잠] 暫 잠깐잠 / 潛 잠길잠 / 蠶 누에잠 / [잡] 雜 섞일잡 / [장]

丈 길장 / 壯 장할장 / 長 긴장 / 莊 씩씩할장 / 帳 휘장장 / 場 마당장 / 將 장수장 / 章 글장 / 掌 손바닥장 / 葬 장사지낼장 / 粧 단장할장 / 張 베풀장 / 裝 꾸밀장 / 腸 창자장

障 막을장 / 獎 권장할장 / 墻 담장 / 藏 감출장 / 臟 오장장 / [재] 才 재주재 / 再 두재 / 在 있을재 / 材 재목재 / 災 재앙재 / 哉 어조사재 / 財 재물재 / 栽 심을재

裁 마를재 / 載 실을재 / [쟁] 爭 다툴쟁 / [저] 低 낮을저 / 抵 막을저 / 底 밑저 / 著 나타날저(착) / 貯 쌓을저 / [적] 赤 붉을적 / 的 과녁적 / 寂 고요할적

賊 도둑적 / 跡 발자취적 / 摘 딸적 / 敵 원수적 / 適 맞을적 / 滴 물방울적 / 積 쌓을적 / 績 길쌈적 / 蹟 자취적 / 籍 호적적 / [전] 田 밭전 / 全 온전할전 / 典 법전

前 앞전 / 展 펼전 / 專 오로지전 / 電 번개전 / 傳 오로지전 / 戰 싸움전 / 錢 돈전 / 轉 구를전 / [절] 切 끊을절 / 折 꺾을절 / 絶 끊을절 / 節 마디절 / [점]

占 점칠점 / 店 가게점 / 漸 차차점 / 點 점점 / [접] 接 맞을접 / 蝶 나비접 / [정] 丁 고무래정 / 井 우물정 / 正 바를정 / 廷 조정정 / 定 정할정 / 征 칠정

政 정사정 / 亭 정자정 / 貞 곧을정 / 訂 바로잡을정 / 頂 정수리정 / 停 머무를정 / 庭 뜰정 / 情 뜻정 / 淨 깨끗할정 / 程 법정 / 精 정할정 / 鄭 나라이름정 / 整 정돈할정 / 靜 고요할정

[제] 弟 아우제 / 制 지을제 / 帝 임금제 / 除 제할제 / 祭 제사제 / 第 차례제 / 提 들제 / 堤 둑제 / 製 지을제 / 際 사귈제 / 齊 가지런할제 / 諸 모두제 / 題 제목제

濟 구세할제 / [조] 弔 조상할조 / 早 이를조 / 兆 억조조 / 助 도울조 / 祖 할아비조 / 租 세금조 / 曹 마을조 / 鳥 새조 / 條 가지조 / 造 지을조 / 組 짤조 / 朝 아침조

照 비칠조 / 調 고를조 / 潮 조수조 / 操 지조조 / 燥 잡을조 / [족] 足 발족 / 族 겨레족 / [존] 存 있을존 / 尊 높을존 / [졸] 卒 군사졸 / 拙 옹졸할졸

[종] 宗 마루종　從 좇을종　終 마칠종　種 씨종　縱 세로종　鐘 쇠북종　[좌] 左 왼쪽좌　坐 앉을좌　佐 도울좌　座 자리좌　[죄] 罪 허물죄

[주] 主 주인주　朱 붉을주　舟 배주　州 고을주　走 달아날주　住 머무를주　周 두루주　注 물댈주　宙 집주　柱 기둥주　洲 물가주　株 그루주　酒 술주

晝 낮주　[죽] 竹 대죽　[준] 准 평평할준　俊 준걸준　準 법도준　遵 따라갈준　[중] 中 가운데중　仲 버금중　重 무거울중　衆 무리중　[즉]

卽 곧즉　[증] 症 병세증　曾 일찍증　蒸 증기증　增 더할증　憎 미워할증　贈 줄증　證 증거증　[지] 之 갈지　止 그칠지　支 지탱할지　只 다만지

至 이를지　地 땅지　池 못지　志 뜻지　知 알지　枝 가지지　持 가질지　指 손가락지　紙 종이지　智 지혜지　誌 기록할지　遲 더딜지　[직] 直 곧을직

職 벼슬직　織 짤직　[진] 辰 별진(신)　珍 보배진　振 떨칠진　眞 참진　陣 벌일진　陳 베풀진　進 나아갈진　盡 다할진　鎭 진압할진　[질] 姪 조카질

秩 차례질　疾 병질　質 바탕질(지)　[집] 執 잡을집　集 모을집　[징] 徵 부를징　懲 징계할징

[ㅊ]

[차] 且 또차　次 버금차　此 이차　借 빌릴차　差 어긋날차　[착] 捉 잡을착　着 붙을착　錯 그를착(조)　[찬] 贊 찬성할찬　讚 칭찬할찬　[찰]

察 살필찰　[참] 參 참여할참(삼)　慘 슬플참　慙 부끄러울참　[창] 昌 창성할창　倉 창고창　唱 노래부를창　窓 창창　創 다칠창　蒼 푸를창　滄 바다창　暢 화창할창

[채] 菜 나물채　採 캘채　彩 무늬채　債 빚질채　[책] 冊 책책　責 꾸짖을책　策 꾀책　[처] 妻 아내처　悽 슬플처　處 곳처　[척]

斥 내칠척　尺 자척　拓 넓힐척(타)　戚 친척척　[천] 千 일천천　川 내천　天 하늘천　泉 샘천　淺 얕을천　遷 옮길천　薦 드릴천　踐 밟을천　賤 천할천

[철] 哲 밝을철　綴 잇대철　徹 관철할철　轍 바퀴자국철　鐵 쇠철　[첨] 尖 뾰족할첨　添 더할첨　[첩] 妾 첩첩　[청] 靑 푸를청　淸 맑을청

晴 갤청　請 청할청　聽 들을청　廳 관청마루청　[체] 替 바꿀체　遞 우체체　體 몸체　[초] 肖 같을초　抄 베낄초　初 처음초　招 부를초　草 풀초

秒 초침초　超 뛰어넘을초　礎 주춧돌초　[촉] 促 재촉할촉　燭 촛불촉　觸 닿을촉　[촌] 寸 마디촌　村 마을촌　[총] 銃 총총　聰 귀밝을총　總 거느릴총

[최] 最 가장최　催 재촉할최　[추] 抽 뽑을추　秋 가을추　追 쫓을추　推 밀추(퇴)　醜 추할추　[축] 丑 소축　祝 빌축　畜 가축축　逐 쫓을축

蓄 저축할축　築 쌓을축　縮 줄축　[춘] 春 봄춘　[출] 出 날출　[충] 充 채울충　忠 충성충　衝 찌를충　蟲 벌레충　[취] 吹 불취

取 취할취　臭 냄새취　就 이룰취　醉 취할취　趣 취미취　[측] 側 곁측　測 측량할측　[층] 層 층층　[치] 治 다스릴치　致 이를치　恥 부끄러울치

値 값치　置 둘치　稚 어릴치　齒 이치　[칙] 則 법칙칙(즉)　[친] 親 친할친　[칠] 七 일곱칠　漆 옻칠할칠　[침] 沈 잠길침　枕 베개침

侵 범할침　針 바늘침　浸 적실침　寢 잠잘침　[칭] 稱 일컬을칭

[ㅋ]

[쾌]快
쾌할쾌

[ㅌ]

[타]他 다를타　打 칠타　妥 타협할타　墮 떨어질타　[탁]托 동냥할탁　琢 쫄다듬을탁　濁 흐릴탁　濯 빨탁　[탄]炭 숯탄　彈 탄환통길탄　歎 탄식할탄

[탈]脫 벗을탈　奪 빼앗을탈　[탐]探 찾을탐　貪 탐낼탐　[탑]塔 탑탑　[탕]湯 끓일탕　[태]太 클태콩태　殆 위태로울태　怠 게으를태

泰 클태　態 모양태　[택]宅 집택(댁)　澤 못택　擇 가릴택　[토]土 흙토　吐 토할토　兎 토끼토　討 칠토　[통]通 통할통　統 거느릴통

痛 아플통　[퇴]退 물러날퇴　[투]投 던질투　透 통할투　鬪 싸울투　[특]特 특별할특

[ㅍ]

[파]波 물결파　派 물결파　破 깨뜨릴파　頗 치우칠파　播 뿌릴파　罷 파할파　[판]判 판단할판　板 널판　版 조각판　販 팔판　[팔]八 여덟팔

[패]貝 조개패　敗 패할패　[편]片 조각편　便 편할편　遍 두루편　篇 책편　編 엮을편　[평]平 평평할평　坪 평수평　評 평론할평　[폐]

肺 허파폐　閉 닫을폐　幣 화폐폐　弊 폐단폐　蔽 가릴폐　廢 폐할폐　[포]布 베포　包 쌀포　抱 안을포　胞 태포　浦 물가포　捕 잡을포　飽 배부를포

暴 사나울포(폭)　[폭]幅 넓이폭　爆 폭발할폭　[표]表 거죽표　票 표표　漂 뜰표　標 표할표　[품]品 물건품　[풍]風 바람풍　楓 단풍나무풍

豐 풍년풍　[피]皮 가죽피　彼 저피　被 입을피　疲 고달플피　避 피할피　[필]匹 짝필(목)　必 반드시필　畢 마칠필　筆 붓필

[ㅎ]

[하]下 아래하　何 어찌하　河 물하　荷 멜하　夏 여름하　賀 하례할하　[학]學 배울학　鶴 학학　[한]汗 땀한　旱 가물한　恨 원한한

限 한정한　寒 찰한　閑 한가할한　漢 한수한　韓 나라한　[할]割 나눌할　[함]含 머금을함　咸 다함　函 상자함　陷 빠질함　艦 싸움배함　[합]

合 합할합　[항]抗 항거할항　恒 항상항　巷 거리항　航 배로물건널항　項 목항　港 항구항　[해]亥 돼지해　害 해칠해　海 바다해　奚 어찌해　解 풀해

該 해당할해　[핵]核 씨핵　[행]行 갈행(항)　幸 다행행　[향]向 향할향　享 누릴향　香 향기향　鄉 고을향　響 울릴향　[허]許 허락할허

虛 빌허　[헌]軒 추녀끝헌　憲 법헌　獻 드릴헌　[험]險 험할험　驗 시험할험　[혁]革 가죽혁　[현]玄 검을현　現 나타날현　弦 활시위현

絃 악기줄현　賢 어질현　縣 고을현　懸 매달현　顯 나타날현　[혈]穴 구멍혈　血 피혈　[협]協 도울협　脅 갈비협　[형]兄 맏형　刑 형벌형

亨 形 螢 [혜] 兮 惠 慧 [호] 戶 互 乎 好 虎 呼
형통할형 얼굴형 반딧불형 　 어조사혜 은혜혜 지혜혜 　 집호 서로호 어조사호 좋을호 범호 부를호

胡 浩 毫 湖 豪 號 護 [혹] 或 惑 [혼] 昏 婚 混
오랑캐호 넓고클호 터럭호 호수호 호걸호 부를호 보호할호 　 혹혹 의혹혹 　 어두울혼 혼인할혼 섞을혼

魂 [홀] 忽 [홍] 弘 洪 紅 鴻 [화] 火 化 禾 花 和
넋혼 　 홀연홀 　 클홍 넓을홍 붉을홍 큰기러기홍 　 불화 될화 벼화 꽃화 화할화

畵 話 華 貨 禍 [확] 確 擴 穫 [환] 丸 患 換 環
그림화(획) 이야기화 빛날화 재물화 재화화 　 확실할확 늘릴확 곡식거둘확 　 알환 근심환 바꿀환 둘레환

[환] 還 歡 [활] 活 [황] 況 荒 皇 黃 [회] 回 灰 悔
　 돌아올환 기뻐할환 　 살활 　 하물며황 거칠황 임금황 누를황 　 돌아올회 재회 뉘우칠회

會 懷 [획] 劃 獲 [횡] 橫 [효] 孝 效 曉 [후] 侯 候
모을회 품을회 　 그을획 얻을획 　 가로횡 　 효도효 본받을효 새벽효 　 제후후 날씨후

喉 厚 後 嗅 [훈] 訓 [훼] 毀 [휘] 揮 輝 [휴] 休 携
목구멍후 두터울후 뒤후 냄새맡을후 　 가르칠훈 　 헐훼 　 휘두를휘 빛날휘 　 쉴휴 가질이끌휴

[흉] 凶 胸 [흑] 黑 [흡] 吸 [흥] 興 [희] 希 稀 喜 熙
　 흉할흉 가슴흉 　 검을흑 　 숨들이쉴흡 　 일어날흥 　 바랄희 드물희 기쁠희 빛날희

噫 戲
느낄희(애) 희롱할 놀이희

千字文

엮은이　일신교재연구회
펴낸이　남　　용
펴낸데　一信書籍出版社

주소 : 121-110 서울 마포구 신수동 177-3
등록 : 1969. 9. 12. NO. 10-70
전화 : 영업부 703-3001~6
　　　편집부 703-3007~8
　　　FAX 703-3009

값 4,000원